EU-Förderprogramme für kleine und mittelständische Unternehmen
Ein Ratgeber

Astrid Zippel

AUSSENHANDELSPOLITIK UND -PRAXIS

Herausgegeben von Prof. Dr. Jörn Altmann

ISSN 1614-3582

Astrid Zippel

EU-FÖRDERPROGRAMME FÜR
KLEINE UND MITTELSTÄNDISCHE UNTERNEHMEN

Ein Ratgeber

ibidem-Verlag
Stuttgart

Bibliografische Information Der Deutschen Bibliothek

Die Deutsche Bibliothek verzeichnet diese Publikation in der Deutschen Nationalbibliografie; detaillierte bibliografische Daten sind im Internet über <http://dnb.ddb.de> abrufbar.

∞

Gedruckt auf alterungsbeständigem, säurefreien Papier
Printed on acid-free paper

ISSN: 1614-3582
ISBN-10: 3-89821-704-3
ISBN-13: 978-3-89821-704-0

© *ibidem*-Verlag
Stuttgart 2006
Alle Rechte vorbehalten

Executive Summary

Der Ratgeber „EU-Förderprogramme für kleine und mittelständische Unternehmen" erläutert die einzelnen Möglichkeiten einer Förderung von kleinen und mittelständischen Unternehmen (KMU) durch die EU und gibt wichtige Hinweise für die erfolgreiche Antragstellung.

Im Zuge der Ende 2005 verkündeten Initiative „*Think Small First*" wird die rechtliche und verwaltungsmäßige Belastung für KMU verringert und der Zugang zu Finanzmitteln, Forschung, Netzwerken, Lieferketten und EU-Förderprogrammen verbessert. Bei der zukünftigen Umsetzung der EU-Rechtsvorschriften bedeutet dies für KMU z.b. ermäßigte Gebühren, vereinfachte Berichterstattungspflichten oder die generelle Befreiung von Vorschriften.

Vor einer Antragstellung müssen bestimmte Grundbedingungen für eine Förderung erfüllt sein: So muss das KMU der KMU-Definition der EU entsprechen, d.h., es muss weniger als 250 Mitarbeiter beschäftigen und darf höchstens 50 Mio. EUR Jahresumsatz erreichen. Zusätzlich muss das Unternehmen unabhängig geführt und in Bezug auf sein Kapital relativ autonom sein.

Die aktuellen EU-Förderprogramme sind – genau wie der Beratungsprozess selbst – vielschichtig: Sie reichen von themenspezifischen Programmen wie z.b. Innovation und Forschung, Umwelt und Energie oder Verkehr, über EU-Drittlandsprogramme, Strukturförderungsmaßnahmen und dem erleichterten Zugang zu Krediten bis hin zu nichtfinanzieller Unterstützung. Entscheidend ist die individuelle Auswahl des Programmes und eine optimale Vorbereitung des Antrags.

Je nach Programm gibt es im wesentlichen zwei unterschiedliche Antragsarten. Neben der Einreichung von Projektvorschlägen können sich KMU auch an Ausschreibungen beteiligen. Bei den Ausschreibungen sind dabei je nach Art des Auftrages gewisse Schwellenwerte zu beachten, nach denen sich das Vergabeverfahren richtet. KMU, die die erforderlichen Kriterien erfüllen und wichtige Hinweise bei der Antragstellung beachten, können ihre Erfolgschancen für die Teilnahme an einem EU-

Programm beträchtlich erhöhen. Dies gilt sowohl bei der Einreichung von Projektvorschlägen als auch bei der Teilnahme an Ausschreibungen.

Erfolgreiche KMU bereiten Anträge schon frühzeitig als Kurzskizze vor, suchen geeignete Projektpartner, planen den Finanzierungsbedarf und reichen ihre vollständigen Anträge auf Englisch oder Französisch ein. Konsortialverträge, ein straffes Projektmanagement, die Überprüfung zahlreicher formaler und inhaltlicher Kriterien mit Hilfe von Checklisten, die Nutzung von geeigneten Kommunikationsmitteln und nicht zuletzt regelmäßige Treffen mit den betreuenden Projectofficern sind für KMU unabdingbar, die von den Fördermöglichkeiten durch die EU profitieren und dadurch ihre Wettbewerbsfähigkeit in einer globalen Welt steigern möchten.

Wichtige Unterstützung für KMU bei der Beantragung von EU-Fördermitteln bieten nationale Informationsstellen wie die Vertretung der Europäischen Kommission in Deutschland oder das EU-Büro des Bundesministeriums für Bildung und Forschung (BMBF) und Beratungsnetze wie z.b. das Netz der *Euro Info Centres* (EIC) oder der *Innovation Relay Centres* (IRC).

Inhaltsverzeichnis

9

1 Einleitung

Der vorliegende Ratgeber ist dazu gedacht, kleinen und mittelständischen Unternehmen (KMU) dabei zu helfen, sich bei den auf den ersten Blick oft unübersichtlichen EU-Programmen zurechtzufinden und führt in die Fördersystematik der EU ein. Er richtet sich in erster Linie an Entscheidungsträger und Projektkoordinatoren in KMU, die an einer Teilnahme an EU-Förderprogrammen interessiert sind.

KMU schreckt der Aufwand für die Beantragung von EU-Fördermitteln oft von vornherein ab, so dass viele von ihnen gar nicht erst einen Antrag auf Förderung stellen oder sich weiter informieren, obwohl die Teilnahme an einem EU-Förderprogramm große Chancen bietet, insbesondere durch Partnerschaften und neue Geschäftskontakte im In- und Ausland. Meist fehlt es KMU an dem entsprechenden Wissen über die Möglichkeiten einer Förderung und dass es für sie zugeschnittene Maßnahmen gibt. So verzeichnet etwa das 6. Forschungsrahmenprogramm (FRP) einen Rückgang der Beteiligung von KMU um 7 Prozent gegenüber dem 5. FRP.[1]

Gleichzeitig will die europäische Kommission vor allem KMU, die mit über 75 Millionen Arbeitsplätzen und einem Anteil von 99 Prozent aller Unternehmen in der europäischen Union einen großen Teil der europäischen Wirtschaft ausmachen, für ihre Fördermaßnahmen interessieren und bietet deshalb speziell auf KMU zugeschnittene Programme an.[2] Dieser Ratgeber führt daher die für KMU relevanten Programme auf und gibt Informationen und Tipps zur Beantragung von EU-Fördermitteln sowie zur Projektkoordination.

Der Ratgeber ist folgendermaßen aufgebaut: Zunächst wird die aktuelle KMU-Politik der EU vorgestellt und auf die KMU-Definition der EU eingegangen. Danach werden die für KMU wichtigsten Förderprogramme und Förderarten der EU vorgestellt. Dabei erhebt der vorliegende Ratgeber nicht den Anspruch auf Vollständigkeit, da sich

---

[1]   Vgl. Vortrag „Spezielle Maßnahmen für kleine und mittlere Unternehmen (KMUs) im 7. RP" von Ulrich Sutter im Rahmen des Workshops: Vertrags- und Finanzmanagement, Berichtswesen, Audits und Erfahrungsberichte zu EU-Projekten im 6. Forschungsrahmenprogramm, Wirtschaftsförderung Region Stuttgart, am 13. Januar 2006.

[2]   Vgl. Europäische Kommission – Vertretung in Deutschland (Hrsg.): Mittelstand stärken. Neue Strategie für Europas KMU, in: EU-Nachrichten, Nr. 45, Berlin 2005, S. 8.

KMU aufgrund ihrer Größe nicht an allen Programmen beteiligen können und manche Förderung der EU nicht für Unternehmen gedacht ist. Zudem ist die Laufzeit der einzelnen Programme zeitlich begrenzt und richtet sich immer nach der jeweiligen aktuellen Politik der EU und ihrem Finanzrahmen.

Im Mai 2006 wurde das Budget für den nächsten Zeitraum 2007 bis 2013 in einem interinstitutionellen Verfahren zwischen der EU-Kommission, dem Ministerrat und dem EU-Parlament vereinbart. Dieser Ratgeber berücksichtigt nur das, was sich bis zu seiner Fertigstellung Mitte Mai 2006 bezüglich der EU-Programme für die nächste Periode bereits abzeichnet. Aus diesem Grund werden die noch aktuellen Programme genannt, und es wird auf Zusatzinformationen über die voraussichtliche Weiterentwicklung der Programme, die Ende 2006 auslaufen werden, hingewiesen.

Anschließend wird auf die verschiedenen Antragswege zur Beantragung von Fördermitteln eingegangen. Es folgen praktische Tipps zur Antragstellung und Projektdurchführung. Abschließend führt der Ratgeber für KMU nützliche Informationsstellen und Beratungsnetze sowie Internetadressen auf.

Im Anhang befinden sich zusätzlich einige hilfreiche Adressen und Ansprechpartner. Es sei noch darauf hingewiesen, dass im laufenden Text immer wieder an geeigneter Stelle Tipps und Informationen durch einen ⇨ Pfeil am Rand optisch hervorgehoben sind.

2 Zielsetzungen der europäischen KMU-Politik

Wichtiges Ziel der aktuellen EU-Politik ist die Förderung der europäischen KMU als Schlüsselfaktor für ein stärkeres Wachstum und mehr und bessere Arbeitsplätze – die beiden Hauptziele der Lissabonner Strategie. In diesem Sinn legte die Kommission (KOM) Ende 2005 eine neue Politik für kleine und mittlere Unternehmen vor, die eine zeitgemäße KMU-Politik für Wachstum und Beschäftigung fordert.[3] Die KOM will laut einer Mitteilung vom 10.11.2005 allen politischen Maßnahmen sowohl auf nationaler als auch auf EU-Ebene den Grundsatz „Think Small First" voranstellen, um KMU-freundlichere Bedingungen zu schaffen.[4] Das neue Konzept liefert einen politischen Rahmen für EU-Maßnahmen zugunsten der KMU. Im Mittelpunkt steht ein regelmäßiger und besserer Dialog mit den KMU-Akteuren sowie deren systematische Konsultation, um die Informationskluft zwischen den europäischen Institutionen und den Unternehmen zu überwinden. Die KMU sollen bereits in einer frühen Phase in den politischen Entscheidungsprozess einbezogen werden. Auf diese Weise sollen ihre Erfahrungen genutzt und das Engagement und die Eigenverantwortung der KMU erhöht werden. Ein weiteres Schlüsselthema für KMU ist eine bessere Rechtsetzung. Die KOM will die Rechtsvorschriften vereinfachen und sicherstellen, dass die künftigen Regelungen das Wachstums- und Innovationspotenzial der KMU nicht beeinträchtigen.

Folglich schlägt die KOM KMU-spezifische Maßnahmen in fünf Bereichen vor:

1. Förderung unternehmerischer Initiative und Fähigkeiten,
2. Verbesserung des Marktzugangs der KMU,
3. Abbau bürokratischer Hindernisse,
4. Verbesserung des Wachstumspotenzials der KMU,
5. Stärkung des Dialogs und der Konsultation mit den KMU-Akteuren.[5]

---

[3]   Vgl. EU-Kommission (Hrsg.): Wachstum und Beschäftigung fördern: Kommission legt neue, umfassende Politik für kleine und mittlere Unternehmen vor, Pressemitteilung Nr. IP/05/1404, Brüssel 10.11.2005.
[4]   Ebd.
[5]   Ebd.

Zum Ziel „Förderung unternehmerischer Initiative und Fähigkeiten" zählen u.a. Maßnahmen für eine erfolgreiche Unternehmensnachfolge, zur besseren Anpassung des Humankapitals von KMU an die aktuellen Bedürfnisse des Arbeitsmarktes und zur Förderung unternehmerischer Kompetenzen. Zwecks der Verringerung des Qualifikationsdefizits sollen z. B. alle Partner, die Ausbildungsmaßnahmen und -methoden entwickeln und festlegen, in den Prozess eingebunden werden.

Außerdem ist geplant, den Zugang der KMU zu öffentlichen Aufträgen und zum Normungsprozess zu verbessern. Folglich will die KOM neue Initiativen vorschlagen, mit denen KMU zur Teilnahme an Kooperations- und Vermittlungsveranstaltungen für Unternehmen insbesondere in Grenzregionen ermutigt werden.

Das Prinzip „*Think Small First*" soll übergreifend für alle politischen Maßnahmen der EU gelten. Ziele der „*Think Small First*"-Initiative der KOM sind die Erleichterung der rechtlichen und verwaltungsmäßigen Belastung für KMU, ein besserer Zugang für KMU zu Finanzmitteln, Forschung, Netzwerken, Lieferketten und EU-Förderprogrammen und eine bessere Information über beschlossene KMU-Maßnahmen auf europäischer Ebene.[6] Beispielsweise wird die KOM bei der Bewertung von EU-Rechtsvorschriften die KMU-Dimension prüfen und sicherstellen, dass den Bedürfnissen der KMU in angemessener und systematischer Weise Rechnung getragen wird. Dies beinhaltet ermäßigte Gebühren, vereinfachte Berichterstattungspflichten oder die Befreiungen von EU-Vorschriften für KMU.

Konkret sieht „*Think Small First*" folgende Maßnahmen vor:

- Förderung unternehmerischer Fähigkeiten: z.B. Verbesserung der Sozialversicherungssysteme und Konkursverfahren, bessere Nachfolgeregelungen für Unternehmen und Qualifikationsangebote;
- Modernisierung und Vereinfachung der Vergaberichtlinie bei Ausschreibungen: u.a. Einführung der elektronischen Auftragsvergabe und eine umweltfreundliche öffentliche Beschaffung (*Green Public Procurement*);

---

[6]   Vgl. Europäische Kommission – Vertretung in Deutschland (Hrsg.): Think Small First. KMU-Strategie vor dem Neubeginn, in: EU-Nachrichten, Nr. 41, Berlin 2005, S. 5.

- Ermutigung der KMU zur Teilnahme an Kooperations- und Vermittlungsveranstaltungen v.a. in Grenzregionen durch die *Euro-Info-Centres* (EIC);
- Erleichterung der Teilnahme von KMU an der 2005 gestarteten innovationsorientierten Initiative Europe INNOVA;
- vereinfachtes Antragsverfahren für KMU im Rahmen des 7. FRPs;
- Stärkung des e-Business-Supports.[7]

Bei dem Ziel „Verbesserung des Wachstumspotenzials der KMU" geht es um Maßnahmen zur Stärkung der Innovations- und Forschungskapazität der KMU und die Anhebung der bestehenden finanziellen Unterstützung von KMU. Dies zeigt sich u.a. darin, dass die KOM durch entsprechende Aktionen KMU zur verstärkten Beteiligung am 7. FRP ermutigen will und vorhat, für KMU die Teilnahme zu erleichtern. Gleichermaßen will die KOM KMU über die EU-Unterstützungsnetze für Unternehmen vor allem im Bereich der geistigen Eigentumsrechte unterstützen.

Zur Stärkung des Dialogs und der Konsultation mit den KMU-Akteuren beabsichtigt die KOM desweiteren, sogenannte KMU-Panels einzurichten, um die Ansichten der KMU in bestimmten Politikbereichen kennenzulernen. Außerdem sollen „*European Enterprise Awards*" verliehen werden, mit denen der Unternehmergeist gefördert und der Austausch bewährter Verfahren auf regionaler Ebene erleichtert wird. Zusätzlich plant die KOM die Einführung eines schnellen und anwenderfreundlichen Konsultationsmechanismus über das Netz der EIC.

Weiterhin werden im Rahmen der „*b2europe*"-Initiative grenzüberschreitende Netzwerke den Zugang für KMU zu Wissen und neuen Technologien vereinfachen.[8] Ein weiteres Anliegen der KOM ist es, KMU mit Großunternehmen zum Wissensaustausch zusammenzubringen.[9]

Das neue „Rahmenprogramm für Wettbewerbsfähigkeit und Innovation" (CIP) für den Zeitraum 2007-2013 liefert einen zusätzlichen Rahmen für spezifische Förderprogramme der EU in den Bereichen Unternehmertum, KMU, industrielle Wettbe-

---

[7] Ebd.
[8] Vgl. Europäische Kommission – Vertretung in Deutschland (Hrsg.): Mittelstand stärken. Neue Strategie für Europas KMU, in: EU-Nachrichten, Nr. 45, Berlin 2005, S. 8.

werbsfähigkeit, Innovation, IKT-Entwicklung und -Nutzung, Umwelttechnologien sowie intelligente Energie. Es baut auf dem vorangegangenen Mehrjahresprogramm für Unternehmen und unternehmerische Initiative auf. Ziel von CIP ist die Förderung der Wettbewerbsfähigkeit und Innovation in der EU.

CIP gliedert sich in drei Einzelprogramme:
- Unternehmertum und Innovation mit besonderem Schwerpunkt auf KMU;
- Unterstützung der IKT-Politik für die Förderung der Annahme von IKT in Unternehmen, Verwaltungen und öffentlichen Dienstleistungen;
- Intelligente Energie-Europa.

Das erste Einzelprogramm hat zum Ziel, Unternehmen bei der Innovation zu unterstützen, indem es Zugang zu Kapital bietet. Das Programm wendet sich insbesondere an KMU, denen Startkapital und Bürgschaften durch den Europäischen Investitionsfonds (EIF) über nationale Finanzmittler wie die Kreditanstalt für Wiederaufbau (KfW) zu Gute kommen sollen. Zusätzlich ermöglicht dieses Programm den KMU einen einfachen, klaren und raschen Zugang zur EU mit Hilfe der Unterstützungsnetze für Unternehmen, die aus zahlreichen EIC und *Innovation Relay Centern* (IRC) bestehen.

Ziele des zweiten Programms zur Unterstützung der IKT-Politik sind:
- den neuen, zusammenwachsenden Märkten für elektronische Netze, Medieninhalte und digitale Technologien Impulse zu geben,
- Lösungen für Hindernisse einer stärkeren Verbreitung elektronischer Dienstleistungen in Europa zu finden und
- die Dienstleistungen im öffentlichen Sektor zu modernisieren, damit in diesem Bereich die Produktivität und Dienstleistungsqualität steigt.

Letztlich fördert das Programm „Intelligente Energie-Europa" die verstärkte Nutzung von neuen und erneuerbaren Energiequellen sowie die Steigerung der Energieeffizienz. Zudem wird CIP dazu beitragen, mehr Investitionen in neue Technologien mit höchster Leistungsfähigkeit zu lenken und die Kluft zwischen der erfolgreichen Demonstration

---

[9]   Ebd.

innovativer Technologien und ihrem tatsächlichen Eintritt in den Massenmarkt zu schließen. [10]

⇨ Weitere Informationen zu CIP im Internet:
  http://europa.eu.int/comm/enterprise/enterprise_policy/cip/index_en.htm
  und: http://cordis.europa.eu.int/innovation/de/policy/cip.htm

---

[10] Unterredung mit Rolf Reiner, Projektmanager BelCAR der Wirtschaftsförderung Region Stuttgart GmbH, Stuttgart, am 13. April 2006.

3 Europäische KMU-Definition

Die KMU-Definition der EU spielt v.a. eine Rolle bei der Beantragung von Finanzierungsmitteln und Projekten, die speziell für KMU gedacht sind. Hier müssen die Kriterien der EU-KMU-Definition erfüllt sein, damit ein Projekt gefördert werden kann. KMU werden je nach Mitarbeiterzahl und ihrem Jahresumsatz bzw. ihrer Jahresbilanzsumme in drei verschiedene Kategorien unterteilt. Es wird dabei unterschieden zwischen Kleinstunternehmen, Kleinunternehmen und mittleren Unternehmen (siehe Abb. 1).

Abb. 1: KMU Definitionen der EU

Unternehmensart	Anzahl der Beschäftigten	Jahresumsatz	Jahresbilanzsumme
Kleinstunternehmen	< 10	max. 2 Mio. EUR	max. 2 Mio. EUR
Kleinunternemen	< 50	max. 10 Mio. EUR	max. 10 Mio. EUR
Mittlere Unternehmen	< 250	max. 50 Mio. EUR	max. 43 Mio. EUR

Quelle: Eigene Darstellung nach http://www.europa.eu.int/comm/enterprise/enterprise_policy/ sme_ definition/index_de.htm, 28.04.2006.

Zusätzlich muss ein KMU laut EU-Definition unabhängig geführt und in Bezug auf sein Kapital autonom sein.[11] Daher dürfen nur weniger als 25% seiner Anteile von anderen Unternehmen gehalten werden und umgekehrt es selbst nur mit 25% an anderen Unternehmen beteiligt sein.[12]

---

[11] Vgl. http://sme.cordis.lu/site_help/glossary.cfm#S, 18.04.2006.
[12] Ebd.

19

4 Aktuelle Förderprogramme der EU

Die EU-Förderprogramme reichen von themenspezifischen Programmen, Ausschreibungen, Strukturförderungsmaßnahmen, der Förderung des erleichterten Zugangs zu Krediten für KMU bis hin zu nichtfinanzieller Unterstützung. Abb. 2 gibt eine Übersicht über die in diesem Ratgeber vorgestellten Programme. Je nach Art des Programmes variiert der Beantragungsprozess der Fördermittel. So kann die Antragstellung für eine EU-Förderung entweder direkt bei den Generaldirektionen oder Exekutivagenturen der KOM erfolgen oder indirekt über nationale zwischengeschaltete Stellen und Intermediäre. In letztgenanntem Fall werden die Projekte komplett in den jeweiligen Mitgliedsstaaten betreut und verwaltet, so dass der Antragsteller keinen direkten Kontakt zur KOM hat. Die Antragsart und zuständige Stelle wird in der Programmausschreibung genannt.

Die von der EU geförderten Bereiche leiten sich aus den aktuellen Strategien und Zielsetzungen der EU-Politik sowie den Arbeitsprogrammen der KOM ab. Teilweise legen auch mehrjährige Rahmenprogramme die Zielsetzungen, Strategien, Förderbereiche, Adressaten und das Budget der Programme fest.[13]

Neben den direkten finanziellen Förderprogrammen der EU gibt es auch eine Reihe von nichtfinanziellen Hilfsmaßnahmen für KMU. Übergreifendes Ziel ist es hier, KMU bei geplanten Investitionen im In- und Ausland zu beraten. Die KOM fördert daher nationale zwischengeschaltete Intermediäre wie z.B. Wirtschaftsfördereinrichtungen, die IRC oder EIC, die Informationsveranstaltungen, Kooperationsbörsen und grenzüberschreitende Netzwerke, Technologieplattformen sowie Beratung für KMU anbieten. Die thematischen Netzwerke dienen dem Austausch von Informationen und Fachwissen und sollen auch bei der Suche nach Kooperationspartnern helfen.

Nachfolgend werden die für KMU wichtigsten Programme genannt. Es wird darauf verzichtet, alle EU-Förderprogramme aufzuzählen, da nicht alle für KMU relevant sind und sonst der für dieses Handbuch verfügbare Rahmen gesprengt werden würde.

---

[13] Heidenreich 2004: S. 13.

Abb. 2: Übersicht über Förderprogramme und Förderbereiche der EU

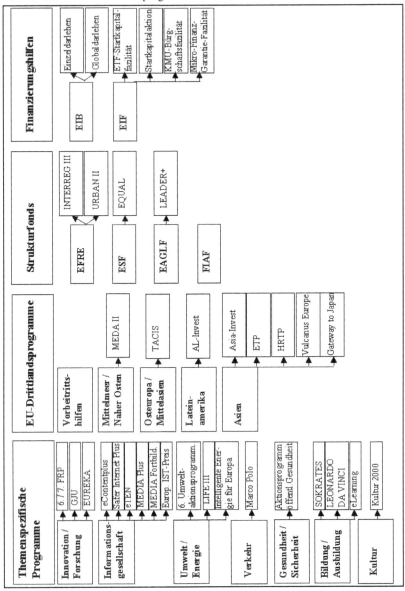

4.1 Themenspezifische Förderprogramme

Die KOM unterstützt bestimmte Bereiche und Ziele der internen EU-Politik wie z.b. Forschung, Umwelt oder Verkehr durch thematische Programme. Unternehmen können sich auf diese Programme direkt bewerben. Die Konzeption und Durchführung der Programme erfolgt durch Dienststellen – entweder Generaldirektionen oder mit der Programmdurchführung beauftragte Exekutivagenturen – der KOM. In der Regel ruft die KOM zur Einreichung von Projektvorschlägen (*calls for proposals*) auf. Die von der KOM ausgewählten Projekte erhalten direkte finanzielle Unterstützung in Form von Zuschüssen, die i.d.R. 50% der Projektkosten betragen.

4.1.1 Innovation und Forschung

Im Bereich Innovation und Forschung können sich KMU sowohl am Forschungsrahmenprogramm (FRP), als auch an der Gemeinschaftsinitiative Galileo sowie am EUREKA-Netzwerk beteiligen.

4.1.1.1 6. und 7. Forschungsrahmenprogramm

Die Forschungsrahmenprogramme (FRP) fördern grenzüberschreitende europäische Forschungsnetzwerke und -kooperationen, um die Wettbewerbsfähig- und Innovationsfähigkeit der EU zu steigern. KMU können entweder an den thematischen Prioritätsforschungsbereichen oder an spezifischen Maßnahmen für KMU teilnehmen.

Adressaten:
- KMU, Unternehmen, Forschungseinrichtungen und Forscher aus der EU, dem EWR, den Beitrittsländern, der Schweiz, Israel und weiteren Ländern, mit denen ein entsprechendes Abkommen geschlossen wurde;
- Mindestteilnehmerzahl: drei unabhängige, in drei verschiedenen Mitgliedsstaaten oder assoziierten Staaten ansässige Rechtspersonen – außer bei Maßnahmen zur gezielten Unterstützung (SSA): hier auch einzelne Antragsteller möglich.

Das 6. FRP für den Zeitraum 2002-2006 hat folgende 7 thematische Prioritäten:

- Genomik und Biotechnologie;
- Technologien für die Informationsgesellschaft;
- Nanotechnologie, intelligente Werkstoffe, neue Produktionsverfahren;
- Luft- und Raumfahrt;
- Lebensmittelsicherheit und Gesundheitsrisiken;
- nachhaltige Entwicklung;
- Bürger und Staat in der Wissensgesellschaft.

Das 6. FRP wird durch nachfolgend stehende Instrumente, die sich nach Projekt-größe, -laufzeit und Finanzierungsvolumen richten, umgesetzt:

- Exzellenznetzwerke (NoE),
- Integrierte Projekte (IP),
- Spezielle gezielte Projekte (STREPS),
- Koordinierungsmaßnahmen (CA),
- Maßnahmen zur gezielten Unterstützung (SSA).

Förderungsart:

- Zuschüsse;
- bei Exzellenznetzwerken: Zuschuss zur Integration;
- bei integrierten Projekten: Zuschuss zum Budget.

Antragsverfahren fürs FRP:

- Projektvorschläge werden auf Grundlage von Aufrufen zur Einreichung von Projektvorschlägen (*calls for proposals*) eingereicht und von unabhängigen Sachverständigen begutachtet;
- 3 verschiedene Wege, das Projekt einzureichen: per Post, auf CD oder Diskette sowie online mit Hilfe das elektronische Antragsverfahren EPSS (*Electronic Proposals Submission System*).

⇨ Informationen zum 6. FRP im Internet:
   http://europa.eu.int/comm/research/fp6/index_en.cfm?p=0
   oder: http://fp6.cordis.lu/fp6/home.cfm

⇨ Step-by-Step-Guide für die Beantragung von Fördermitteln im Rahmen des 6. FRP und Tipps zur Projektdurchführung: http://www.cordis.lu/fp6/stepbystep/home.html

⇨ KMU-Helpdesk: research-sme@cec.eu.int

⇨ Ansprechpartner in Deutschland: http://www.rp6.de/beratung/deutscheberatungsstrukturen/nks

⇨ Liste nationaler KMU-Kontaktstellen für das 6. Rahmenprogramm: http://sme.cordis.lu/assistance/NCPs.cfm#GERMANY

⇨ Aktuelle *calls for proposals*: http://fp6.cordis.lu/fp6/calls.cfm

⇨ Internationale Kooperationen im Rahmen des 6. FRP: http://www.cordis.lu/fp6/inco.htm

Das 7. Forschungsrahmenprogramm für den Zeitraum 2007-2013 soll im Sinne einer Kontinuität auf dem 6. FRP aufbauend dieses weiterführen. Die KOM hat am 6. April 2005 die Vorschläge für das 7. FRP publiziert. Es besteht aus den vier spezifischen Programmen Zusammenarbeit, Ideen, Menschen und Kapazitäten. Im 7. FRP sind KMU-spezifische Maßnahmen vorgesehen, um deren Teilnahme zu erleichtern.[14]

Die Forschungsthemen im 7. FRP sind:

- Gesundheit,

- Lebensmittel, Landwirtschaft, Biotechnologie,

- Informations- und Kommunikationstechnologie,

- Nanowissenschaften, Nanotechnologien, Werkstoffe und neue Produktionstechnologien,

---

[14] Vgl. Vortrag „Spezielle Maßnahmen für kleine und mittlere Unternehmen (KMUs) im 7. RP" von Ulrich Sutter (Steinbeis-Europa-Zentrum) im Rahmen des Workshops: Vertrags- und Finanzmanagement, Berichtswesen, Audits und Erfahrungsberichte zu EU-Projekten im 6. Forschungsrahmenprogramm, Wirtschaftsförderung Region Stuttgart, am 13. Januar 2006.

- Energie,
- Umwelt (einschließlich Klimawandel),
- Verkehr (einschließlich Luftfahrt),
- Sozial-, Wirtschafts- und Geisteswissenschaften,
- Sicherheit und Weltraum.

Wesentliche Neuerungen im 7. FRP:
- Vereinfachtes Antragsverfahren für KMU;[15]
- Europäische Technologieplattformen und Gemeinsame Technologie-Initiativen (JTI);[16]
- Förderung von sogenannten „Wissensregionen";[17]
- risikoteilende Finanzfazilität für Banken zur Unterstützung von privaten Investitionen in Forschung.[18]

⇨ Weitere Informationen zum 7. FRP: http://www.rp6.de/inhalte/rp7
und: http://europa.eu.int/comm/research/future/index_en.cfm

4.1.1.2 Galileo Joint Undertaking (GJU)

Das Galileo Joint Undertaking (GJU) wurde von der KOM und der Europäischen Raumfahrtagentur (ESA) gegründet, um die Galileo-Entwicklungsphase zu managen. Galileo, ein unabhängiges europäisches Satellitennavigationsprogramm, basiert auf 30 Satelliten und Bodenstationen, welche die jeweiligen Nutzer mit Ortungsinformationen versorgen können.

Adressaten:
- insbesondere KMU sollen für eine Beteiligung gewonnen werden;[19]
- für KMU beträgt die Beteiligung 250.000 EUR;

---

[15] Ebd.
[16] Vgl. http://cordis.europa.eu.int/fp7/faq.htm, 9.1.2006.
[17] Ebd.
[18] Ebd.
[19] Vgl. Europäische Kommission – Vertretung in Deutschland (Hrsg.): Galileo-Zeit beginnt, in: EU-Nachrichten, Nr. 1, Berlin 2006, S. 7.

- neben Unternehmen auch die Europäische Investitionsbank (EIB).

Förderbereiche:
- Verkehrswesen, z.b. Navigationssysteme, Ermittlung der Geschwindigkeit von Fahrzeugen;
- Soziale Einrichtungen, z.b. Hilfe für Behinderte und Senioren;
- Justiz und Zoll, z.b. Feststellung des Aufenthaltortes von Verdächtigen oder Grenzkontrollen;
- Bauwesen, z.b. geografische Informationssysteme;
- Not- und Rettungsdienste;
- Freizeitsektor, z.b. Orientierung auf dem Meer und in den Bergen.

Förderungsart: Zuschüsse in unterschiedlicher Höhe

Antragstellung: auf Ausschreibungen in verschiedenen Medien, u.a. in den EU-Nachrichten der deutschen Delegation der KOM (siehe Abschnitt 7.1, S. 105).

⇨ Weitere Informationen im Internet:
   http://europa.eu.int/comm/dgs/energy_transport/galileo/index_de.htm
   oder: http://www.galileoju.com

4.1.1.3 EUREKA

EUREKA ist ein Netzwerk mit 36 europäischen und außereuropäischen teilnehmenden Ländern im Bereich der technologische Zusammenarbeit in Europa.

Ziele:
- Förderung der Wettbewerbsfähigkeit europäischer Unternehmen auf den Weltmärkten durch Schaffung von Innovationskontakten und -netzwerken;
- optimale Nutzung des in Europa vorhandenen Potenzials an Fachleuten, Know-how, Einrichtungen und finanziellen Ressourcen;
- Entwicklung von europäischen Standards und Normen;
- Beitrag zur weiteren Integration des europäischen Binnenmarktes;

- Lösung von grenzüberschreitenden Problemen, v.a. im Umweltbereich.

Adressaten: Unternehmen und Forschungsinstitute

Fördervoraussetzungen:
- Kooperationspartner aus mindestens 2 EUREKA-Mitgliedsländern;
- F&E im hochtechnologischen Bereich;
- Beitrag zur Stärkung der europäischen Wettbewerbsfähigkeit durch Projekt;
- ausschließlich im zivilen Bereich;
- gesicherte Finanzierung des Projektes.

Förderungsart:
- Besonderheit in Deutschland: Keine speziell für EUREKA-Vorhaben reservierten Mittel, sondern grundsätzlich alle nationalen Förderprogramme offen für EURE-KA-Förderung;
- andere Mitgliedsländer stellen für anerkannte EUREKA-Vorhaben EUREKA-Fördermittel zur Verfügung, von denen auch deutsche Projektteilnehmer indirekt profitieren, wenn sie an einem gemeinschaftlichen Projekt mit diesen Ländern beteiligt sind.

Antragstellung:
- Einreichung über zuständige nationale Koordinatoren oder beim EUREKA-Sekretariat in Brüssel;
- mindestens 30 Tage vor den 3 bis 4mal jährlich stattfindenden Sitzungen der „Gruppe Hoher Repräsentanten", die die Regierungen der EUREKA-Mitglieds-staaten repräsentieren.

Zusätzlich wird jährlich ein mit 10.000 EUR dotierter Umweltpreis, der „Lille-hammer-Award", für ein beendetes EUREKA-Projekt verliehen, das besonders zum Umweltgedanken beigetragen hat.

⇨ Weitere Informationen und EUREKA-Antrag im Internet: http://www.eureka.be

⇨ Adresse der deutschen EUREKA-Stelle EUREKA/COST-Büro im Anhang, S. 146

4.1.2 Informationsgesellschaft

Zum Thema Informationsgesellschaft bietet die KOM 5 Programme an: eContent-plus, Safer Internet Plus, eTEN, MEDIA Plus und MEDIA Fortbildung. Die ersten drei Programme fördern Projekte auf dem Gebiet der neuen Medien und zum Ausbau der elektronischen Dienste. Während sich die Programme MEDIA Plus und MEDIA Fortbildung an KMU richten, die im audivisuellen Bereich tätig sind.

4.1.2.1 eContentplus (2005-2008)

eContentplus möchte den Zugang zu digitalem Inhalt und innovativen Online-Dienstleistungen in der EU erleichtern und die Sprachenvielfalt im Internet fördern.

Ziele:
- Förderung des Zugangs zu Informationen des öffentlichen Sektors;
- Erhöhung der Qualität des Inhaltes auf Webseiten;
- größere Verfügbarkeit von europäischen digitalen Inhalten in globalen Netzen;
- Förderung der kulturellen und sprachlichen Vielfalt, v.a. der Sprachen der EU bei digitalen Inhalten in globalen Netzen;
- Verstärkung der Kooperation zwischen digital Content-Anbietern;
- Steigerung der Exportchancen europäischer Content-Anbieter, insbesondere von KMU.

Adressaten:
- insbesondere KMU aus der EU, EWR und den Bewerberländern;
- Unternehmen aus Drittländern, keine finanzielle Unterstützung.

eContentplus fördert den digitalen Inhalt speziell auf folgenden Gebieten:
- geographische Informationen: grenzüberschreitende Datasets;

29

- Bildung: Schaffung einer europäischen Informationsinfrastruktur und Unterstützung bei der Entwicklung von europaweit genutzten Online-Lerndiensten;
- Kultur: wissenschaftliche Informationen und Entwicklung von digital verfügbaren Sammlungen und Zusammenarbeit von Bibliotheken, Museen und Archiven.

Förderungsart: Zuschüsse in unterschiedlicher Höhe

Antragsstellung: direkt über die Einreichung von Projektvorschlägen

⇨ Weitere Informationen im Internet:
http://europa.eu.int/information_society/activities/econtentplus/programme/index_en.htm
oder: http://europa.eu.int/information_society/activities/econtentplus/index_en.htm

4.1.2.2 Safer Internet Plus (2005-2008)

Safer Internet Plus fördert die sichere Nutzung des Internets und von Online-Technologien und bekämpft illegalen und schädlichen Inhalt auf Internetseiten. Das Programm betrifft nicht nur das Internet, sondern auch andere Medien wie z.B. Videos.

4 Haupttätigkeitsfelder:
- Kampf gegen illegalen Inhalt auf Internetseiten;
- Beseitigung von ungewolltem und schädlichem Inhalt;
- Förderung von mehr Internetsicherheit;
- Bewußtseinsbildung in der Öffentlichkeit.

⇨ Weitere Informationen im Internet:
http://www.europa.eu.int/information_society/activities/sip/programme/index_en.htm

4.1.2.3 eTEN (-2006)

Das eTEN-Programm dient dem Aufbau transeuropäischer und über Telekommunikationsnetze laufender elektronischer Dienste und der Verbesserung der Wettbewerbsfähigkeit von KMU. Die von eTEN geförderten Projekte sollen positive sozioökonomische Auswirkungen auf die Wirtschaftstätigkeit der Unternehmen und die Beschäftigung in der EU haben.

Adressaten: Unternehmen und Einrichtungen, die elektronische Dienste anbieten möchten

Förderbereiche:
- transeuropäische Telekommunikationsnetze:
  - allgemeine und berufliche Bildung,
  - Zugang zum kulturellen Erbe Europas,
  - Verkehr und Mobilität,
  - Umwelt und Notfallmanagement,
  - Gesundheitswesen,
  - Arbeitsmethoden und Dienste für den Arbeitsmarkt;
- transeuropäische Basistelekommunikationsdienste;
- transeuropäische Telekommunikationsanwendungen und -dienste für KMU;
- transeuropäische Informationsnetze für Städte und Regionen.

Förderung:
- Entwicklung eines Geschäftsplans;
- Unterstützung bei der Überwindung von Anlaufproblemen und Schwierigkeiten mit der Startfinanzierung;
- Hilfestellung bei rechtlich-organisatorischen Problemen mit öffentlich-privaten Partnerschaften;
- Förderung von an die Forschung anschließenden Projekten und Entwicklungsvorhaben, mit denen diese Technologien zur Marktreife gebracht werden.

Fördervoraussetzung:
- fachliche Fähigkeiten und Mittel zur Durchführung eines Projekts und zur anschließenden Nutzung der Ergebnisse;
- ausreichende Finanzmittel oder der Nachweis, diese beschaffen können;
- entsprechendes Management und Personal.

Förderungsart:
- Zuschüsse in unterschiedlicher Höhe zu vorgeschlagenen Projekten;
- Kofinanzierung von Projektstudien in der Anfangsphase von bis zu 50% der entstandenen Kosten (u.a. Erstellen eines Geschäfts- oder Investitionsplans);
- Zinszuschüsse für von der EIB oder anderen öffentlichen oder privaten Finanzinstituten gewährte Darlehen;
- Beitrag zu den Prämien für Anleihbürgschaften des EIF oder anderen Finanzinstitutionen;
- direkte Subventionen für Investitionen in begründeten Fällen;
- Beteiligung an Risikokapital zur Förderung von Investitionsfonds oder vergleichbaren finanziellen Instrumenten mit Schwerpunkt auf der Beschaffung von Risikokapital für TEN-Vorhaben unter Einbeziehung erheblicher Investitionen des Privatsektors;
- Gesamtzuschuss darf 10% der Investitionssumme nicht übersteigen.

Antragstellung:
- entweder direkte Antragstellung oder indirekt über jeweiligen Mitgliedsstaat;
- Einreichung von Projektvorschlägen auf *calls for proposals*;
- Vorschläge für eTEN können auch von einzelnen Einrichtungen unterbreitet werden, wenn sie von allgemeinem Interesse und für den Einsatz in mehreren Mitgliedstaaten ausgelegt sind.

⇨ Informationen zu eTEN: http://europa.eu.int/information_society/activities/eten/library/ about/intro/index_de.htm;
oder: http://europa.eu.int/information_society/programmes/eten/index_en.htm

Nach 2006 wird eTEN in das Einzelprogramm „Unterstützung der IKT-Politik" von CIP (vgl. Kapitel 2, S. 16) integriert werden.[20]

4.1.2.4 MEDIA Plus (-2006)

MEDIA Plus fördert den europäischen audiovisuellen Sektor – einschließlich der KMU –, um dessen Wettbewerbsfähigkeit auf dem europäischen und internationalen Markt zu verbessern. Dazu unterstützt MEDIA Plus Maßnahmen in den Bereichen Entwicklung, Marketing / Vertrieb und Öffentlichkeitsarbeit sowie die Digitalisierung und Vernetzung.

Adressaten: Produzenten, Regisseure, Verleiher, Hersteller von Filmen und anderen audiovisuellen Werken

Zusätzliche Förderbereiche:
- Verbreitung neuer Arten audiovisueller Inhalte, die moderne Technologien nutzen;
- Entwicklung des audiovisuellen Sektors in Ländern und Regionen mit geringer audiovisueller Produktionskapazität und / oder kleinem Sprachgebiet oder geringer geografischer Ausdehnung sowie Stärkung der Vernetzung von KMU und deren grenzüberschreitender Zusammenarbeit.

Förderungsart: max. 50%iger Zuschuss, in Ausnahmefällen: bis zu 60%

Antragsverfahren: Aufruf zur Einreichung von Projektvorschlägen

⇨ Internet: http://www.europa.eu.int/comm/avpolicy/media/index_en.html

---

[20]   Vgl. http://europa.eu.int/information_society/activities/eten/newsroom/programme/framewo rk/index_en.htm, 28.04.2006.

33

4.1.2.5 MEDIA Fortbildung (-2006)

Das Programm MEDIA Fortbildung dient der beruflichen Weiterbildung von Fachkräften in der europäischen audiovisuellen Industrie und unterstützt die Verwendung neuer Technologien. Fernunterrichtsangebote und pädagogische Innovationen unter Einbezug von Online-Technologien werden bei dem Programm besonders berücksichtigt.

Adressaten: Fachkräfte aus der europäischen audiovisuellen Programmindustrie

Gefördert werden Fortbildungen in folgenden Bereichen:
- Verwendung neuer, digitaler Technologien in der Produktion und Vermarktung;
- betriebswirtschaftliches, finanzielles und kommerzielles Know-how;
- Drehbuchgestaltungstechnik;
- berufliche Erstausbildung;
- Netzwerke zwischen Drehbuchautoren, Regisseuren und Produzenten.

Förderungsart:
- max. 50%iger Zuschuss zu den Fortbildungskosten;
- in Ausnahmefällen in Ländern und Regionen mit geringer audiovisueller Produktionskapazität und / oder kleinem Sprachgebiet oder geringer geografischer Ausdehnung bis zu 60%.

Antragsverfahren: Aufruf zur Einreichung von Projektvorschlägen

⇨ Internet: http://www.europa.eu.int/comm/avpolicy/media/forma_en.html

MEDIA 2007 führt auf Vorschlag der KOM die Programme MEDIA Plus und MEDIA Fortbildung für den Zeitraum 2007-2013 fort.

Hauptziele:
- Förderung der kulturellen Vielfalt Europas sowie Bewahrung und Erschließung seines kinematografischen und audiovisuellen Erbes;

- Steigerung der Verbreitung des europäischen audiovisuellen Schaffens innerhalb und außerhalb der Europäischen Union;
- Stärkung der Wettbewerbsfähigkeit des europäischen audiovisuellen Sektors.

⇨ Weitere Informationen zu MEDIA 2007 im Internet unter:
http://europa.eu.int/comm/dgs/education_culture/newprog/index_de.html

4.1.2.6 Europäischer IST-Preis

Die KOM verleiht jährlich gemeinsam mit dem Europäischen Rat für Angewandte Wissenschaft und Technik drei mit 200.000 EUR dotierte sogenannte „Europäische Große IST-Preise" und 20 mit 5.000 EUR dotierte „Europäische IST-Preise" im Bereich *Information Society Technology* (IST) für die Entwicklung besonders innovativer Produkte und Dienstleistungen mit guten Marktchancen.[21] Den Gewinnern wird der Zugang zu Kapital, Märkten und Netzwerken erleichtert. Gleichzeitig trägt die Nominierung für einen IST-Preis zur Erhöhung der Kreditwürdigkeit und der zukünftigen Entwicklung des Unternehmens bei.

⇨ Weitere Informationen zum IST-Preis im Internet: http://www.ist-prize.org

4.1.3 Umwelt und Energie

Das „6. Umweltaktionsprogramm der Europäischen Gemeinschaft", LIFE III und das Programm „Intelligente Energie für Europa" fördern Projekte zur Nutzung umweltverträglicherer und ressourcenschonender Verfahren und Techniken.

---

[21]   Vgl. Europäische Kommission – Vertretung in Deutschland (Hrsg.): Mittelstand stärken. Neue Strategie für Europas KMU, in: EU-Nachrichten, Nr. 45, Berlin 2005, S. 8.

4.1.3.1 Umweltaktionsprogramm der Europäischen Gemeinschaft

Das 6. Umweltaktionsprogramm der Europäischen Gemeinschaft für den Zeitraum 2002-2012 fördert Umweltprojekte in allen Bereichen der EU-Politik, die zu einer nachhaltigen Entwicklung beitragen.

Ziele des 6. Umweltaktionsprogramms:
- Förderung nachhaltiger Produktions- und Konsummuster;
- Verbesserung der Zusammenarbeit und Partnerschaft mit Unternehmen und Unternehmensverbänden, um die Umweltbilanz der Unternehmen zu verbessern und nachhaltige Produktionsmuster zu erhalten;
- bessere Information über die Umweltauswirkungen von Verfahren und Produkten;
- Förderung der Einbeziehung der Umweltbelange in den Finanzsektor;
- Förderung einer wirksamen und nachhaltigen Nutzung von Land und Meeren unter der Berücksichtigung von Umweltaspekten.[22]

Adressaten: neben Behörden u.a. auch KMU

4 Förderbereiche:
1. Klimaänderung;
2. Umwelt und biologische Vielfalt;
3. Umwelt, Gesundheit und Lebensqualität;
4. nachhaltige Nutzung natürlicher Ressourcen und Bewirtschaftung von Abfällen.

Förderungsart: Zuschüsse

Antragstellung: über Ausschreibungen

⇨ Internet: http://www.europa.eu.int/comm/environment/newprg/index.htm

---

[22]   Krahe 2003: S. 155.

4.1.3.2 LIFE III – Umwelt (2002-2006)

LIFE III fördert die Entwicklung innovativer und integrierter Techniken und Methoden zum Umweltschutz.

Adressaten: Die Teilnahme von KMU an LIFE III ist von der KOM besonders erwünscht.

Demonstrationsvorhaben in folgenden Bereichen können gefördert werden:
- nachhaltiges Wassermanagement,
- nachhaltige Raumplanung und -nutzung,
- Entwicklung sauberer Technologien und Betonung der Prävention,
- Abfallvermeidung und Recycling,
- integrierte Konzepte zur Reduzierung von Umweltschäden in der Produktion und Entwicklung umweltfreundlicher Produkte. [23]

Antragstellung:
- nationale Ausschreibungen;
- Vorschläge mussen von einem Bewerber alleine eingereicht werden, jedoch ist die Zusammenarbeit mit anderen Teilnehmern im Rahmen einer Partnerschaft möglich.

⇨ Nationale Ansprechpartner und Adressen im Internet unter:
http://europa.eu.int/comm/environment/life/contact/env_natautho.pdf

LIFE III wird ab 2007 voraussichtlich als LIFE+ in leicht modifizierter Form fortgeführt.[24]

⇨ Weitere Infos dazu im Internet unter:
http://europa.eu.int/comm/environment/life/news/futureoflife.htm

---

[23]   Ebd.: S. 157.
[24]   Vgl. http://europa.eu.int/comm/environment/life/news/futureoflife.htm, 25.01.2006.

4.1.3.3 Intelligente Energie für Europa (2003-2006)

Das Programm „Intelligente Energie für Europa" zielt v.a. darauf ab, die Marktbedingungen für erneuerbare Energien und Energieeffizienz zu verbessern und internationalen Erfahrungs- und Informationsaustausch zu fördern.

„Intelligente Energie für Europa" gliedert sich in 4 Unterprogramme:
1. ALTENER: Förderung neuer und erneuerbarer Energien;
2. SAVE: Energieeffizienz, v.a. im Bauwesen und in der Industrie;
3. STEER: energiespezifische Aspekte des Verkehrswesens;
4. COOPENER: Förderung erneuerbarer Energien und der Energieeffizienz in Entwicklungsländern.

Förderungsart:
- Zuschüsse bis zu 50% der Projektgesamtkosten;
- bei Studien und bestimmten Aktionen, die die Strategie und Politik der EU betreffen, können bis zu 100% der Kosten von der KOM getragen werden.

⇨ Internet: http://www.europa.eu.int/comm/energy/intelligent/index_en.html

4.1.4 Verkehr

Marco Polo für den Zeitraum 2003-2010 unterstützt Aktionen in den Güterverkehrs- und Logistikmärkten und anderen relevanten Märkten zur Schaffung eines effizienten und nachhaltigen Verkehrssystems.

Ziel: Verringerung der Staus im Straßenverkehr und Verbesserung der Umweltverträglichkeit des Güterverkehrssystems

Adressaten: u.a. KMU

Förderungsart: Zuschüsse in unterschiedlicher Höhe

⇨ Informationen im Internet unter:
http://europa.eu.int/comm/transport/marcopolo/index_en.htm

4.1.5 Gesundheit und Sicherheit

Das „Aktionsprogramm im Bereich der öffentlichen Gesundheit" für den Zeitraum 2003-2008 fördert Projekte im Bereich des Gesundheitswesens. KMU können hier v.a. durch die Beteiligung an Ausschreibungen teilnehmen.

Ziel: Schutz der menschlichen Gesundheit und Verbesserungen im öffentlichen Gesundheitswesen

Adressaten: nationale Behörden; auch KMU über Beteiligung an Ausschreibungen

Antragstellung:
- Aufruf zur Einreichung von Vorschlägen (*calls for proposals*);
- Ausschreibungen: öffentliche Aufträge über die Erbringung von Dienstleistungen z.B. spezielle Studien oder die Lieferung von Gütern.

Förderungsart:
- bei öffentlichen Ausschreibungen: Übernahme der gesamten Kosten;
- bei *calls for proposals*:
  - Zuschuss grundsätzlich bis zu 60 % der Projektgesamtkosten;
  - in Ausnahmefällen: maximaler Kofinanzierungsbetrag von 80 % der beihilfefähigen Kosten, sofern das Projekt einen signifikanten europäischen Mehrwert aufweist und die neuen Mitgliedstaaten und Kandidatenländer erheblich beteiligt sind;
  - höchstens 10 % der Projekte sollte eine Kofinanzierung von über 60 % erhalten.

⇨ Weitere Informationen zum Aktionsprogramm im Internet:
http://www.europa.eu.int/comm/health/ph_programme/programme_de.htm

4.1.6 Aus- und Weiterbildung

Im Bereich Aus- und Weiterbildung tätige KMU können sich an den Programmen SOKRATES, LEONARDO DA VINCI und eLEARNING beteiligen.

4.1.6.1 SOKRATES (2000-2006)

SOKRATES will durch den Fremdsprachenerwerb in der EU zu einer qualitativ hohen Bildung und zum lebenslangen Lernen beitragen.

Adressaten: staatliche und private Einrichtungen im Bereich Bildung, Verlage, Sprachschulen, Rundfunk- und Fernsehsender, Medienunternehmen, Softwarehäuser und -händler

KMU können an bestimmten Aktionen im Rahmen der folgenden Unterprogramme von SOKRATES teilnehmen:
- COMENIUS: Zusammenarbeit in der Schulbildung;
- GRUNDTVIG: Erwachsenenbildung;
- LINGUA: Förderung des Sprachenunterrrichts und des Sprachenerwerbs;
- MINERVA: Zusammenarbeit im Bereich des offenen Unterrichts und der Fernlehre sowie der Informations- und Kommunikationstechnologie im Bildungswesen.

Förderungsart:
- Zuschüsse in unterschiedlicher Höhe;
- Stipendien.

Antragstellung: Projektvorschläge auf Ausschreibungen

⇨ Weitere Informationen im Internet:
http://europa.eu.int/comm/education/programmes/socrates/socrates_de.html

Für den Zeitraum 2007-2013 wurde von der KOM ein neues Aktionsprogramm im Bereich des lebenslangen Lernens vorgeschlagen, das aus den bisherigen Sokrates-Unterprogrammen bestehen soll.[25]

4.1.6.2 LEONARDO DA VINCI – Bereich Berufsbildung

Das Programm LEONARDO DA VINCI im Zeitraum 2000-2006 unterstützt innovative qualitativ hochwertige Praktiken im Bereich Berufsbildung, die u.a. der erfolgreichen Eingliederung ins Arbeitsleben dienen. Im Rahmen des Programms werden transnationale Projekte gefördert, bei denen Akteure der Berufsbildung zusammenarbeiten, um Mobilität und Innovation zur fördern und die Ausbildungsqualität in der EU zu steigern.[26]

Adressaten:
- Einrichtungen, die in der Berufsbildung tätig sind;
- auch Unternehmen – insbesondere KMU und Handwerksbetriebe.

Förderung von Projekten in folgenden Bereichen:
- Mobilität von Personen in der Berufsausbildung;
- Netzwerke im Bereich Berufsbildung in Europa zum gegenseitigen Austausch von Fachwissen, Erfahrungen und Best Practices;
- Sprachkompetenz und interkulturelle Kommunikation;
- Innovative transnationale Pilotprojekte.

Förderungsart:
- Zuschüsse in unterschiedlicher Höhe für transnationale Projekte und zur Unterstützung von Netzwerken;
- Mobilitätsstipendien.

Antragstellung:
- Projektvorschläge auf Ausschreibungen

---

[25]   Vgl. http://europa.eu.int/comm/dgs/education_culture/newprog/index_de.html, 30.04.2006.
[26]   Vgl. http://europa.eu.int/comm/education/programmes/leonardo/leonardo_de.html, 6.2.2006.

Leonardo da Vinci soll für die Periode 2007-2013 laut eines Vorschlags der KOM im Rahmen des neuen Aktionsprogramms im Bereich des lebenslangen Lernens bestehen bleiben.[27] Neues Ziel ist, dass die Anzahl von Praxisplätzen in Betrieben und Berufsbildungszentren in einem anderen EU-Land bis 2013 auf 150.000 ansteigt.

⇨ Weitere Informationen im Internet:

http://europa.eu.int/comm/education/programmes/leonardo/new/leonardo2_de. html

⇨ Nationale Agentur "Bildung für Europa" beim Bundesinstitut für Berufsbildung (BIBB):

- http://www.bibb.de/de/wlk8644.htm
- Adresse im Anhang, S. 147

⇨ Internetbörse zum Ausfindigmachen von Projektpartnern: http://leonardo.cec.eu.int/psd/index.cfm?lang=2

4.1.6.3 eLearning (2004-2006)

Das Programm eLearning fördert Projekte, die lebenslanges Lernen und die Modernisierung der allgemeinen und beruflichen Bildung ermöglichen.

Adressaten: Akteure aus dem Bereich allgemeine und berufliche Bildung.

Förderungswürdige Maßnahmen:
- Förderung des Erwerbs neuer Kompetenzen und Kenntnisse mit digitalen Medien;
- Beitrag zum Lernen für Personen, die aufgrund geografischer Hindernisse, ihrer sozialen Situation oder besonderer Bedürfnisse nur schwer Zugang zu herkömmlichen Bildungs- und Berufsbildungsangeboten haben.

Förderungsart: Zuschuss in unterschiedlicher Höhe.

---

[27]   Vgl. http://europa.eu.int/comm/dgs/education_culture/newprog/index_de.html, 13.02.2006.

Antragstellung:

- *Calls for proposals*;
- Zusammenarbeit auf europäischer Ebene verlangt: Partner aus 3 Ländern bei Europäischen Partnerschaften und aus 5 Ländern bei europäischen Netzen.

⇨ Weitere Informationen über das Programm eLearning unter:

http://www.europa.eu.int/comm/education/programmes/elearning/programme_de. html

oder: http://elearningeuropa.info

4.1.7 Kultur

Das Programm Kultur 2000 für die Periode 2000-2006 fördert Kooperationsprojekte in allen künstlerischen und kulturellen Gebieten und richtet sich auch an KMU, die im Bereich Kultur tätig sind. Zu den Aktivitäten, die durch Kultur 2000 gefördert werden, zählen Festivals, Ausstellungen und Konferenzen, die für ein breites Publikum gedacht sind, insbesondere für junge und sozial benachteiligte Personen. Die meisten Projekte sollen eine Multimedia-Dimension (z.b. Online-Diskussions-foren) beinhalten.

Adressaten: öffentliche und private Kulturinstitutionen und Kulturakteure

3 Hauptkategorien für förderfähige Projekte:
- innovative oder experimentelle einjährige Aktionen:
  - Kooperationsprojekte mit Partnern aus mindestens 3 Teilnehmerländern,
  - Übersetzungsprojekte;
- mehrjährige Kooperationsprojekte:
  - Netzwerke von unterschiedlichen Kulturakteuren aus mindestens 5 Teilnehmerländern,
  - transnationale qualitativ wertvolle Projekte mit einer europäischen Dimension,
  - sektorübergreifende Aktionen, die mehrere kulturelle Gebiete – inklusive die neuen Medien – umfassen;
- Kulturevents: z.B. Aktivitäten im Rahmen der Europäischen Kulturhauptstadt.

Förderungsart:

- Zuschuss bis zu 50% der vorgesehenen Projektkosten bei einjährigen Aktionen;
- Unterstützung soll zwischen 50.000 und 150.000 EUR bei einjährigen Aktionen liegen;
- Zuschuss bis zu 60% der vorgesehenen Projektkosten für max. 3 Jahre bei mehrjährigen Kooperationsprojekten: nicht mehr als 300.000 EUR/ Jahr.

Antragstellung:

- Ausschreibungen: Einreichung eines Projektvorschlags auf *calls for proposals*;
- Implementierung des Programms durch einen Management Ausschuß, der die Projekte aufgrund eines Meinungspanels von unabhängigen Experten auswählt.

⇨ Weitere Informationen im Internet:
http://europa.eu.int/comm/culture/eac/index_en.html

Kultur 2007, welches das aktuelle Programm Kultur 2000 nach einem Vorschlag der KOM für die Perode 2007-2013 fortführen soll und es erweitert, besteht aus drei Hauptzielen, die einen Zusatznutzen auf europäischer Ebene bieten sollen:

- Unterstützung der grenzüberschreitenden Mobilität von Menschen im Kultursektor;
- Unterstützung der internationalen Verbreitung von Kunstwerken sowie künstlerischen und kulturellen Erzeugnissen;
- Förderung des interkulturellen Dialogs.

„Es ist damit zu rechnen, dass eine Entscheidung nicht vor Herbst 2006 fällt."[28]

⇨ Weitere Informationen zum neuen Programm im Internet:
http://europa.eu.int/comm/dgs/education_culture/newprog/index_de.html

---

[28] http://www.ccp-deutschland.de, 23.04.2006.

4.2 EU-Drittlandsprogramme

Im Rahmen ihrer Außenwirtschafts- und Nachbarschaftspolitik fördert die EU die internationale Zusammenarbeit auf vielfältige Weise. Sie unterstützt einerseits Projekte in Ländern, die der EU in Zukunft beitreten werden durch sogenannte Vorbeitrittshilfen oder Infrastrukturvorhaben in Osteuropa, Mittelasien, der Mittelmeerregion und im Nahen Osten. An den meisten dieser Programme können KMU über Ausschreibungen (*calls for tenders*) teilnehmen. Andererseits bezuschusst die EU auch Kooperationsvorhaben und Netzwerke zwischen KMU aus der EU und lateinamerikanischen oder asiatischen Unternehmen sowie Trainingsmaßnahmen und die Teilnahme an Messen im Ausland.

4.2.1 Vorbeitrittshilfen

Bulgarien und Rumänien werden voraussichtlich 2007 der EU beitreten. Momentan hat die EU zusätzlich drei offizielle Bewerberländer: die Türkei, Kroatien und Mazedonien.[29] Weitere Kandidatenländer im Westbalkan können folgen. Um die zukünftigen Mitgliedsländer auf den Beitritt vorzubereiten, finanziert die EU über die Programme ISPA (*Instrument for Structural Policies in Pre-Accession*), PHARE (*Poland and Hungary Assistance for Restructuring the Economy*), SAPARD (*Special Accession Programme for Agriculture and Rural Development*) und CARDS (*Community Assistance for Reconstruction, Development and Stabilisation*) Infrastrukturprojekte vor Ort, an denen auch KMU teilnehmen können.

Die Antragstellung findet über nationale zwischengeschaltete Behörden in den jeweiligen Ländern statt. In jedem Beitrittsland wurde zur Verwaltung der Programme daher meist im Finanzministerium ein Nationaler Fonds eingerichtet, der von einem sogenannten Nationalen Hilfskoordinator geleitet wird.[30] Für die jeweiligen Förderbereiche gibt es in den entsprechenden nationalen Ministerien fachspezifische Ansprechpartner.

---

[29] Vgl. http://europa.eu.int/comm/enlargement/candidate_de.htm, 8.2.2006.
[30] Heidenreich 2004: S. 25.

Ziel von ISPA ist die Vorbereitung der Beitrittsländer auf dem Gebiet der Umwelt- und Verkehrspolitik. Im Rahmen von ISPA werden daher Umwelt- und Vekehrsinfrastrukturmaßnahmen gefördert.

⇨ Weitere Informationen zu ISPA im Internet:
    http://europa.eu.int/comm/enlargement/pas/ispa.htm

Seit 1989 unterstützt PHARE den Reformprozess und Kooperationsmaßnahmen in Mittel- und Osteuropa. An PHARE können Unternehmen aus der EU über Ausschreibungen teilnehmen und müssen dabei besondere Kriterien erfüllen. Gefördert werden momentan Maßnahmen in Albanien, Bulgarien und Rumänien.

⇨ Weitere Informationen zu PHARE im Internet:
    http://europa.eu.int/comm/enlargement/pas/phare/index.htm

SAPARD soll den EU-Beitritt im Agrarsektor vorbereiten und ländliche Gebiete fördern. Das Programm wird meist über kleinvolumige Projekte abgewickelt, die nicht der internationalen Ausschreibungspflicht unterliegen (vgl. Abschnitt 5.2, S. 76f.), sondern über die freihändige Vergabe oder das vereinfachte Verfahren in Auftrag gegeben werden.[31]

⇨ Weitere Informationen zu SAPARD im Internet:
    http://europa.eu.int/comm/enlargement/pas/sapard.htm

Ziel von CARDS ist die Stabilisierung und Unterstützung des Beitrittsprozesses der Länder im Westbalkan sowie die Förderung der grenzüberschreitenden Zusammenarbeit im Westbalkan und mit anderen EU-Mitgliedsländern.

Folgende Länder erhalten Unterstützung durch CARDS: Albanien, Bosnien-Herzegowina, Serbien und Montenegro, sowie der Kosovo. Kroatien und Mazedonien, die schon den Status eines Bewerberlandes haben, können weiterhin an CARDS teilnehmen. Bei der Abwicklung des Programms sind sowohl EuropeAid, das Amt für Zusammenarbeit der Europäischen Kommission, als auch die Europäische Agentur für

Wiederaufbau (EAR) beteiligt: EuropeAid ist für Ausschreibungen in Albanien, Bosnien-Herzegowina und Kroatien zuständig, während die EAR Projekte in Serbien, Montenegro und Mazedonien betreut.[32]

⇨ Weitere Informationen zu CARDS im Internet:
    http://europa.eu.int/comm/enlargement/cards/index_en.htm
    oder: http://www.ear.eu.int

In der Finanzperiode 2007-2013 werden die Programme PHARE, ISPA, SAPARD, CARDS und die Vorbeitrittshilfen für die Türkei durch das Programm IPA (*Instrument for Pre-Accession Assistance*) ersetzt, damit die Vorbeitrittshilfen besser und einfacher koordiniert werden können. IPA soll den Beitritt zur EU für offizielle und potentielle Bewerberländer erleichtern.

⇨ Informationen zu IPA im Internet:
    http://europa.eu.int/comm/enlargement/ipa_en.htm

4.2.2 Mittelmeer und Naher Osten – MEDA II (2000-2006)

Das Programm MEDA II hilft dabei, die Rahmenbedingungen in den Mittelmeeranrainerstaaten zu verbessern, damit zwischen ihnen und der EU bis 2010 eine Freihandelszone geschaffen werden kann.

Mittelmeerpartnerländer:
Marokko, Algerien, Tunesien, Ägypten, Israel, Jordanien, die Palestinänsische Behörde, Libanon, Syrien, Türkei

Adressaten: Behörden, Institutionen, Vereine, NGOs und Unternehmen aus der EU und aus den Mittelmeerpartnerländern

---

[31]   Heidenreich 2004: S. 25.
[32]   Heidenreich 2004: S. 26.

Förderungsart:

- Zuschüsse;
- Risikokapital der EIB;
- bei Umweltmaßnahmen: zinsverbilligte Kredite der EIB.

Antragsverfahren: EuropeAid veröffentlicht regelmäßig Informationen zu zukünftigen Ausschreibungen.

⇨ Weitere Informationen im Internet:

   http://www.europa.eu.int/comm/external_relations/euromed/meda.htm

Ab 2007 wird ein Europäisches Nachbarschaftsinstrument (ENPI) das MEDA-Programm im Rahmen der Europäischen Nachbarschaftspolitik ablösen.[33]

4.2.3 Osteuropa und Mittelasien – TACIS (2000-2006)

TACIS unterstützt im Zeitraum 2000-2006 Infrastrukturmaßnahmen in den Partnerländer in Osteuropa und Mittelasien, an denen sich KMU als Subunternehmen bei Großprojekten oder über Dienstleistungsaufträge beteiligen können.

TACIS-Partnerländer:
Armenien, Aserbaidschan, Weißrussland, Georgien, Kasachstan, Kirgistan, Moldau, Russische Föderation, Tadschikistan, Turkmenistan, Ukraine, Usbekistan

Adressaten: Unternehmen, NGOs und Hochschulen aus der EU und den TACIS-Partnerstaaten

Förderbereiche:
- institutionelle, rechtliche und administrative Reformen;
- Entwicklung des Privatsektors und wirtschaftliche Entwicklung;

---

[33]   Vgl. Europäische Kommission (Hrsg.): Financial perspectives 2007-2013, Brüssel 14.07.2004, S. 25, http://europa.eu.int/eur-lex/lex/LexUriServ/site/en/com/2004/com2004_0487en01.pdf, 26.04.2006.

- Reform der Gesundheits-, Renten-, Sozial- und Versicherungssysteme;
- Aufbau von Infrastrukturnetzen;
- Umweltschutz und Bewirtschaftung der natürlichen Ressourcen;
- Entwicklung der Wirtschaft im ländlichen Raum;
- nukleare Sicherheit.

Fördervoraussetzungen:
- Die Bereiche, in denen eine Tacisförderung in Anspruch genommen wird, sollen sich ergänzen und jedes nationale oder multinationale Projekt sollte nicht mehr als drei der oben genannten Gebiete betreffen;
- Zusammenarbeit der Partnerstaaten untereinander, zwischen den Partnerstaaten und der EU oder zwischen den Partnerstaaten und weiteren Ländern in Ost- und Mitteleuropa.

Förderungsart:
- bis zu 100% der Projektkosten;
- Projekte müssen ein bestimmtes Mindestvolumen haben, um gefördert werden zu können:
  - mindestens 2 Mio. EUR in Russland und der Ukraine;
  - mindestens 1 Mio. EUR in den anderen Partnerländern.

Antragsverfahren:
- öffentliche und beschränkte Ausschreibungen:
- öffentliche Ausschreibungen: ab Veröffentlichung Frist von 52 Tagen,
- beschränkte Ausschreibungen: ab Veröffentlichung Frist von 40-60 Tagen je nach Dringlichkeit;
- Dienstleistungsaufträge: i.d.R. als beschränkte Ausschreibung und bei Auftragssumme unter 200.000 EUR freihändige Vergabe.

Für das Tacis Programm ist hauptsächlich EuropeAid zuständig:

EuropeAid Co-operation Office
B-1049 Brussels Belgium.
Tel.: +32 22991111.

Fax: +32 25459011

E-Mail: europeaid-info@cec.eu.int

⇨ Weitere Kontaktadressen unter:

http://europa.eu.int/comm/europeaid/projects/tacis/contacts_en.htm

⇨ Generelle Informationen zum TACIS-Programm im Internet:

http://www.europa.eu.int/comm/external_relations/ceeca/tacis/index.htm

Das ENPI wird ab 2007 das TACIS-Programme für die ENP-Länder und Russland im Rahmen der Europäischen Nachbarschaftspolitik ablösen.[34]

4.2.4 Lateinamerika – AL-Invest

Das AL-Invest-Programm fördert die Zusammenarbeit zwischen europäischen und lateinamerikanischen KMU durch Netzwerke und organisierte Treffen von Unternehmen, die im gleichen Sektor tätig sind.

Partnerländer:

Argentinien, Bolivien, Brasilien, Chile, Costa Rica, Ecuador, El Salvador, Guatemala, Honduras, Kolumbien, Kuba, Mexiko, Nicaragua, Panama, Paraguay, Peru, Uruguay, Venezuela

Förderungsart:

- indirekte Förderung über sogenannte Operatoren wie IHKs, Branchen- oder Fachverbände und öffentliche oder private Einrichtungen;
- Operatoren organisieren gemeinsame Treffen für Unternehmen aus beiden Ländergruppen, meistens im Zusammenhang mit einer Fachmesse;
- die KOM finanziert diese sektorspezifischen Treffen zum Aufbau von Handelsbeziehungen und strategischen Allianzen mit.

---

[34]   Ebd.

Zur Organisation des AL-INVEST-Programmes wurde in Lateinamerika ein Netz-werk von ca. 300 *Eurocentros* (*Eurocentros de Cooperación Empresarial*) aufge-baut.[35] Diese arbeiten in direkter Verbindung mit anderen Netzwerken zusammen und unterstützen die Kooperation zwischen lateinamerikanischen Unternehmen und KMU aus der EU; u.a. helfen Sie bei der Suche nach gegenseitigen Partnern.[36]

Das *COOPECO-Netzwerk* ist das europäische Pendant zu den *Eurocentros* in Latein-amerika und berät auf europäischer Seite KMU, die mit lateinamerikanischen Firmen zusammenarbeiten möchten oder sich für Investitionen in Lateinamerika interessie-ren. Momentan besteht das Netz aus über 300 Mitgliedern, dazu gehören Industrie- und Handelskammern, Berufsverbände und industrielle Vereinigungen, regionale Entwicklungsagenturen sowie Unternehmensberater.[37]

⇨ Informationen im Internet zu AL-Invest:
http://europa.eu.int/comm/europaid/projects/al-invest/index_en.htm

4.2.5 Asien

4.2.5.1 Asia-Invest (2003-2007)

Asia-Invest fördert die Zusammenarbeit zwischen europäischen und asiatischen KMU durch Partnerschaften und Netzwerke sowie Know-how- und Technologie-transfers zwischen beiden Regionen.

Partnerländer:
Afghanistan, Bangladesch, Bhutan, Brunei, China, Hongkong, Indien, Indonesien, Kambodscha, Laos, Macao, Malaysia, Malediven, Nepal, Osttimor, Pakistan, Philip-pinen, Singapur, Sri Lanka, Thailand, Vietnam

Zielgruppe: Wirtschafts- und Interessenverbände von KMU in Europa und Asien

---

[35]   Vgl. http://europa.eu.int/comm/enterprise/networks/b2europe/networks.html, 11.04.2006.
[36]   Vgl. http://europa.eu.int/comm/europaid/projects/al-invest/eurocentres_en.cfm, 11.04.2006.
[37]   Vgl. http://europa.eu.int/comm/europaid/projects/al-invest/coopecos_en.cfm, 11.04.2006.

51

Asia-Invest bietet einen Rahmen mit sieben Komponenten hauptsächlich in den folgenden drei Bereichen:

- Aufbau von Partnerschaften zwischen europäischen und asiatischen KMU (*Venture*, *Interprise*, *Asia-Partenariat*);
- Entwicklung des privaten Sektors in Asien durch technische Hilfe und das Erstellen von Marktstudien, vor allem in weniger entwickelten Ländern;
- Aufbau von Intermediären, Netzwerkbildung mit EU-Partnern und Dialog, um den gegenseitigen Handel und Investitionen zu verstärken sowie der Austausch von Best Practices zwischen dem privaten Sektor und öffentlichen Agenturen (*Alliance*, *Asia-Invest-Foren*).[38]

Das Asia Invest Programm unterstützt Intermediäre, die für alle Seiten vorteilhafte Partnerschaften bilden und die Möglichkeit von Kooperationen zwischen KMU verbessern sollen.[39] Unternehmen können zwar nicht direkt finanzielle Kofinanzierung beantragen, sie können aber indirekt an den im Rahmen von Asia-Invest erstellten Marktstudien profitieren und an Events und Asia-Invest Foren sowie an Projekten als Gesellschafter – ohne EU-Förderung – oder als Dienstleistungen anbietendes Subunternehmen teilnehmen.[40] Mögliche Dienstleistungen sind in diesem Zusammenhang z.B. das Erstellen von Werbematerial, die Vermietung von Räumen, Übersetzungs- und Dolmetscherdienste und Unternehmensberatung.

Förderungsart:

- Zuschüsse von i.d.R. 50% der Projektkosten bei finanziellem Mindestumfang des Projektes zur Anbahnung strategischer Partnerschaften in diesen Ländern;
- Zuschüsse für:
  - das Erstellen von Marktstudien,
  - Technische Hilfe,
  - *Asia-Partenariat-Events*,
  - Asia-Invest-Kontakte zwischen Unternehmen,

---

[38] Vgl. http://europa.eu.int/comm/europeaid/projects/asia-invest/html2002/instruments.htm, 18.04.2006.

[39] Vgl. http://europa.eu.int/comm/europeaid/projects/asia-invest/download2002/2003-2007flyer.pdf, 18.04.2006.

[40] Vgl. http://europa.eu.int/comm/europeaid/projects/asia-invest/html2002/participationofcompanies.html, 18.04.2006.

- *Asia-Invest-Foren.*[41]

⇨ Internet: http://europa.eu.int/comm/europeaid/projects/asia-invest/html2002/main. htm

4.2.5.2 Executive Training Program (ETP) in Japan und Korea

Das Executive Training Program (ETP) soll den Zugang für Manager europäischer Unternehmen zum japanischen und koreanischen Markt erleichtern.

Adressat:

- jedes EU-Unternehmen, das in Japan / Korea tätig ist, nach Japan / Korea exportiert oder eine nachvollziehbare Export- oder Investitionsstrategie nachweisen kann;
- 50% der Teilnehmer kommen aus KMU.

Das ETP-Trainingsprogramm beinhaltet Sprachkurse, Seminare zu Rahmenbedingungen für Unternehmen und direkte Arbeitserfahrung in örtlichen Unternehmen in Japan und Korea.

⇨ Weitere Informationen zum ETP im Internet: http://www.etp.org

4.2.5.3 HRTP – Managementprogramm in Japan

Das HRTP (*Human Resources Training Programme*) bietet einen Fortbildungslehrgang für europäische Führungskräfte in Japan. Die dadurch gewonnen Kenntnisse und Unternehmenskontakte können später nützlich sein und weiter ausgebaut werden.

---

[41]   Vgl. http://europa.eu.int/comm/europeaid/projects/asia-invest/download2002/2003-2007fly er.pdf, 18.04.2006.

Zielgruppe: kaufmännische und technische Führungskräfte (Alter: mind. 35 Jahre) mit guten englischen Sprachkenntnissen und möglichst 10jähriger Berufserfahrung in EU-Mitgliedstaaten

Förderungsart:
- kostenloses 2-3monatiges Programm mit Seminaren, Betriebsbesichtigungen, Sprachintensivkursen, Exkursionen und Praktika bei japanischen Firmen;
- Teilnehmer von KMU werden bei Reise- und Aufenthaltskosten zusätzlich bezuschusst mittels eines Stipendiums.

⇨ Antragstellung: beim EU-Japan-Zentrum für Industrielle Zusammenarbeit

- E-Mail: info@eujapan.com

⇨ Weitere Informationen zum HRTP im Internet:
http://www.eujapan.com/europe/hrtp.html

4.2.5.4 Vulcanus Europa

Das *Vulcanus Europa-Programm* bietet ein 8monatiges Traineeprogramm für japanische Studenten, die bereits die Landessprache beherrschen, in europäischen Unternehmen an. Japanische Studenten sollen durch *Vulcanus Europa* einerseits europäische Unternehmen bei der Entwicklung von Geschäftsbeziehungen in Japan unterstützen und andererseits ihren zukünftigen japanischen Arbeitgebern bei Geschäftsbeziehungen mit europäischen Unternehmen helfen.

Adressaten: europäische Unternehmen, unabhängig davon, ob sie schon Geschäftsverbindungen zu Japan haben oder nicht.

Förderungsart:
- Trainee wird von EU-Japan Zentrum bezahlt,
- europäisches Unternehmen bezahlt 6.000 EUR an EU-Japan Zentrum.

⇨ Weitere Informationen zu *Vulcanus Europa* im Internet:
http://www.eujapan.com/europe/vulcanus_europe.html

4.2.5.5 Gateway to Japan

Europäische KMU sollen mit Hilfe von *Gateway to Japan* beim Eintritt auf dem japanischen Markt durch Informationsseminare, Unternehmensreisen und Messebeteiligungen unterstützt werden.

Exportförderung für KMU in folgenden 8 Bereichen:
- Medizintechnik,
- Umwelttechnologien,
- Bauwirtschaft,
- Informations- und Kommunikationstechnologien,
- Europäisches Kleidungsdesign,
- Outdoor-Freizeitprodukte,
- Innendesign,
- Nahrung – Getränke.[42]

Förderungsart:
- 1.000 EUR Reisekostenzuschuss;
- Zuschuss von max. 1.800 EUR und max. 80% der anfallenden Kosten für individuelle Beratungsdienstleistungen (z.B. Rechtsberatung oder die Vermitt-lung von Gesprächsterminen) oder Kofinanzierung von Messebeteiligungen.

Antragstellung:
- beim Deutschen Industrie- und Handelskammertag (DIHK) zu jeweils neu festgesetzten Terminen;
- nationaler Koordinator für das Programm ist Herr Wilhelm Berg:

Deutschen Industrie- und Handelskammertag
Breite Strasse 29

10178 Berlin

Tel.: 030/ 20308-2390 / -2391

Fax: 030/ 20308-2392

E-Mail: berg.wilhelm@berlin.dihk.de

⇨ Weitere Informationen zu *Gateway to Japan* im Internet:
http://www.gatewaytojapan.org/index.jsp

4.3 Strukturfonds

Mit Hilfe der Strukturfonds der EU sollen unterschiedliche Entwicklungsniveaus zwischen den Regionen der EU-Mitgliedsstaaten vermieden und die wirtschaftliche und soziale Zusammenarbeit innerhalb der EU gefördert werden. Die Strukturfonds konzentrieren sich daher auf Regionen mit Entwicklungsrückstand. Neben den Strukturfondsmitteln gibt es noch den Kohäsionsfonds, der Umwelt- und Verkehrs-infrastrukturprojekte in EU-Mitgliedstaaten mit einem Pro-Kopf-BIP von weniger als 90% des EU-Durchschnitts finanziert.[43] Allerdings kommen für die Kohäsionsfonds-projekte aufgrund ihrer Größe eher Großunternehmen in Frage als KMU, weshalb hier auf die Kohäsionsfondsmittel nicht weiter eingegangen wird.[44]

Die in den Strukturfonds bereitgestellten Gelder stellt die EU zur Kofinanzierung nationaler und regionaler Fördermaßnahmen bereit. Sie richten sich nach der Regionalpolitik der EU. Die gesamte Verwaltung – inkl. Antragstellung und Auswahl der Projekte – erfolgt nicht durch die KOM, sondern durch nationale bzw. regionale Behörden.

---

[42]   Vgl. http://www.gatewaytojapan.org, 03.02.2006.
[43]   Weidenfeld, Wessels 2006: S. 341f.
[44]   Heidenreich 2004: S. 38.

4.3.1 Strukturfonds im Zeitraum 2000-2006

Für die Periode 2000-2006 hat die KOM drei Ziele für Strukturmaßnahmen definiert (siehe Abb. 3).

Abb. 3: Ziele der Strukturmaßnahmen (2000-2006)

Ziel 1	Förderung der Entwicklung und der strukturellen Anpassung in den rückständigen Gebieten der EU. (Pro-Kopf-Einkommen unter 75% des EU-Durchschnitts, dünn besiedelte Gebiete)
Ziel 2	Unterstützung der wirtschaftlichen und sozialen Umstellung in Gebieten mit Strukturproblemen.
Ziel 3	Hilfe zur Anpassung und Modernisierung der Bildungs-, Ausbildungs- und Beschäftigungssysteme

Quelle: Bundeszentrale für politische Bildung (Hrsg.): Europäische Union, Informationen zur politischen Bildung, Nr. 279/2005, Oberschleißheim 2005, S. 40.

Abb. 4 zeigt die Zielgebiete in Deutschland im Zeitraum 2000-2006.

⇨ Eine Karte der Zielgebiete innerhalb der EU befindet sich im Internet unter: http://www.europa.eu.int/comm/regional_policy/sources/graph/cartes_de.htm

Abb. 4: Zielgebiete in Deutschland (2000-2006)

Ziel 1

Regionen mit Übergangs-
unterstützung (bis 2005)

Ziel 2

Ziel 2 (teilweise)

Gebietsabgrenzungen Ebene NUTS 2

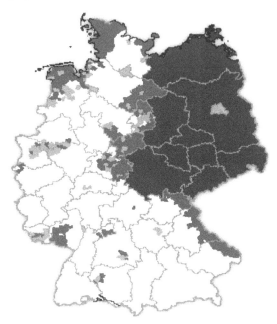

Quelle: http://europa.eu.int/comm/regional_policy/country/overmap/d/d_de.htm, 08.04.2006.

In Ziel 1-Regionen, in denen das Pro-Kopf-Einkommen weniger als 75% des EU-Durchschnitts beträgt, sollen durch die Strukturfonds u.a. Strukturen zur Förderung von KMU entwickelt oder gefestigt werden.[45] Unter das Ziel 1 fallen in Deutschland

---

[45]   Vgl. Europäische Kommission (Hrsg.): Förderprogramme der europäischen Union für KMU. Überblick über die wichtigsten Finanzierungsmöglichkeiten für KMU, 2005, http://europa.eu.int/ comm/enterprise/entrepreneurship/sme_envoy/pdf/support_programmes _2005_ de.pdf, 25.01.2006.

die Länder Brandenburg, Mecklenburg-Vorpommern, Sachsen, Sachsen-Anhalt und Thüringen. Das Ziel 2 fördert insbesondere Aktivitäten zum Unternehmertum und zur Schaffung alternativer Erwerbsmöglichkeiten. Ziel 2-Gebiete befinden sich in Deutschland u.a. im ehemaligen Zonenrandgebiet, in Schleswig-Holstein und in Niedersachsen. Ziel 3-Maßnahmen kommen Regionen zugute, die nicht unter die Zielgebiete 1 und 2 fallen. Das Ziel 3 unterstützt auch überregionale nationale Aktionen zugunsten der Humanressourcen, indem Bildungs-, Ausbildungs- und Beschäftigungspolitiken und -systeme an die moderne Arbeitswelt angepasst werden.

Die Strukturpolitik wird durch drei Fonds und ein Finanzinstrument umgesetzt: den Europäischen Fonds für regionale Entwicklung (EFRE), den Europäischen Sozialfonds (ESF), den Europäischer Ausrichtungs- und Garantiefonds für die Landwirtschaft (EAGLF) und das Finanzinstrument für die Ausrichtung der Fischerei (FIAF). Für KMU sind vor allem Maßnahmen des EFRE und des ESF relevant.

Der EFRE finanziert Infrastruktureinrichtungen, Anlageninvestitionen zur Schaffung von Arbeitsplätzen, lokale Entwicklungsprojekte und Hilfen für KMU. Unter den Strukturfonds ist der EFRE die Hauptfinanzierungsquelle für KMU. KMU werden durch den EFRE folgendermaßen unterstützt:

- durch Beihilfen für Unternehmensdienste in den Bereichen Verwaltung, Marktuntersuchung und -forschung und gemeinsame Dienstleistungseinrichtungen für mehrere Unternehmen;
- Finanzierung des Technologietransfers, insbesondere Zusammenarbeit von Unternehmen und Forschungseinrichtungen sowie Finanzierung der Durchführung der Innovation in Unternehmen;
- Verbesserung des Zugangs der Unternehmen zu Finanzierungen und Krediten durch die Schaffung und Entwicklung geeigneter Finanzinstrumente;
- direkte Investitionsbeihilfen;
- Beihilfen für lokale Dienstleistungseinrichtungen, mit denen Arbeitsplätze geschaffen werden sollen.

⇨ Weitere Informationen im Internet:
   http://europa.eu.int/comm/regional_policy/funds/prord/prord_de.htm

Ziel des ESF ist es, Arbeitslosigkeit zu verhindern und zu bekämpfen und zur Entwicklung der Humanressourcen sowie zur Chancengleichheit benachteiligter Gruppen beizutragen. Der ESF fördert daher u.a. die berufliche Wiedereingliederung von Arbeitslosen, hauptsächlich durch die Finanzierung von Ausbildungs- und Beschäftigungsmaßnahmen. Beim ESF gibt es individuelle nationale Aktionspläne, die von den Mitgliedsstaaten jeweils ausgearbeitet und verwaltet werden.

⇨ Weitere Informationen zum ESF im Internet:
   http://europa.eu.int/comm/employment_social/esf2000/index_de.html

Der EAGLF fördert u.a. die Modernisierung von landwirtschaftlichen Betrieben, die Vermarktung von Agrarerzeugnissen sowie Infrastrukturmaßnahmen und den Tourismus im ländlichen Raum.

⇨ Weitere Informationen zum EAGLF im Internet:
   http://europa.eu.int/comm/agriculture/fin/index_de.htm

Das FIAF fördert die Anpassung und Modernisierung der Fischwirtschaft. Er unterstützt den Fischereisektor dabei, sich den aktuellen wirtschaftlichen Herausforderungen zu stellen und eine nachhaltige ökologische sowie ökonomisch rentable Bewirtschaftung der Fischbestände zu garantieren. Ab 2007 wird das FIAF durch einen Fonds für die Fischerei ersetzt.[46]

⇨ Weitere Informationen zum FIAF im Internet:
   http://europa.eu.int/comm/fisheries/doc_et_publ/liste_publi/facts/ifop03_de.pdf

4.3.2 Gemeinschaftsinitiativen im Zeitraum 2000-2006

Aus den Strukturfonds werden in der Periode 2000-2006 die vier Gemeinschaftsinitiativen INTERREG III, URBAN II, EQUAL und LEADER+ finanziert.

---

[46]   Vgl. Europäische Kommission (Hrsg.): Financial perspectives 2007-2013, Brüssel 14.07.2004, S. 17., http://europa.eu.int/eur-lex/lex/LexUriServ/site/en/com/2004/com2004_0487 en01.pdf, 26.04.2006.

INTERREG III fördert die grenzüberschreitende, transnationale und interregionale Zusammenarbeit und soll zur Stärkung des wirtschaftlichen und sozialen Zusammenhalts innnerhalb der Gemeinschaft beitragen. Die INTERREG-Mittel werden u.a. für die Entwicklung von KMU eingesetzt.

⇨ Weitere Informationen zu INTERREG III im Internet:
   http://europa.eu.int/comm/regional_policy/interreg3/index_de.htm

⇨ Links zu INTERREG-Programmen und jeweiligen Ansprechpartnern unter:
   http://europa.eu.int/comm/regional_policy/interreg3/abc/progweb_en.htm

URBAN II unterstützt innovative Strategien zur Wiederbelebung von Städten und krisenbetroffenen städtischen Gebieten sowie den Erfahrungs- und Know-how-Austausch in Bezug auf eine nachhaltige Stadtentwicklung. Unternehmen können nur indirekt von URBAN II profitieren, indem sie bei einem solchen Projekt einen Auftrag erhalten.

⇨ Weitere Informationen zu URBAN II im Internet:
   http://europa.eu.int/comm/regional_policy/urban2/index_de.htm

⇨ Links zu URBAN-Programmen und jeweiligen Ansprechpartnern unter:
   http://europa.eu.int/comm/regional_policy/urban2/towns_prog_de.htm

Die Gemeinschaftsinitiative EQUAL möchte Ungleichheiten und Diskriminierungen auf dem Arbeitsmarkt durch transnationale Zusammenarbeit bekämpfen. Förderfähig sind neben Behörden, NGOs und Gewerkschaften auch Unternehmen. Für die Teilnahme an EQUAL sind Partnerschaften mit mindestens einem Partner aus einem anderen Mitgliedsland Voraussetzung. In sogenannten Entwicklungspartnerschaften – Zusammenschlüssen verschiedener Träger etwa Zielgruppenvertretungen, Sozialpartnern, Wissenschaft, Unternehmen und arbeitsmarktpolitischen Institutionen – soll eine gemeinsame Strategie gegen Diskriminierungen und Ungleichheiten auf dem

Arbeitsmarkt entwickelt werden. [47] Die Mittelvergabe erfolgt bei EQUAL auf Bundesebene.

⇨ Weitere Informationen EQUAL im Internet:
http://europa.eu.int/comm/employment_social/equal/index_de.cfm
und unter: http://www.equal-de.de

⇨ Adressen der Ansprechpartner in Deutschland unter:
http://europa.eu.int/comm/employment_social/equal/tools/contacts_en.cfm#deutschland

⇨ Überblick über alle Entwicklungspartnerschaften in Deutschland unter:
http://www.equal-de.de/Equal/Navigation/Entwicklungspartnerschaften/epliste.html

Durch LEADER+ sollen Akteure in ländlichen Gebieten zur Entwicklung neuer lokaler Strategien und Initiativen für eine nachhaltige Entwicklung zusammengeführt werden. Der Schwerpunkt liegt hier auf Partnerschaften und Netzwerken.

⇨ Weitere Informationen über LEADER+ im Internet unter:
http://europa.eu.int/comm/agriculture/rur/leaderplus/index_de.htm

⇨ Nationale deutsche Verwaltungsbehörden für LEADER+ unter:
http://europa.eu.int/comm/agriculture/rur/leaderplus/whoswho/manauth_de_en.htm

⇨ Datenbank „Regionale Entwicklungsprogramme 2000-2006" mit Zusammenfassungen der von der KOM offiziell durch die Strukturfonds finanzierten verabschiedeten Programme nach Regionen:
http://europa.eu.int/comm/regional_policy/country/prordn/index_de.cfm

⇨ Datenbank „Success Stories" mit Projektbeispielen in der Strukturförderung:
http://europa.eu.int/comm/regional_policy/projects/stories/index_de.cfm

---

[47] Vgl. http://www.equal-de.de/Equal/Navigation/entwicklungspartnerschaften.html, 08.04.06.

4.3.3 Strukturfonds im Zeitraum 2007-2013

Die in Abschnitt 4.3.1 bzw. 4.3.2 genannten Strukturfonds und Gemeinschaftsinitiativen laufen noch bis Ende 2006. Für den Zeitraum danach ist eine Umstrukturierung der Strukturförderung geplant, die auf einem Beschluß der KOM vom 14. Juli 2004 beruht.[48] Ab 2007 soll sich Regionalförderung stärker an den Zielen Wachstum und Beschäftigung der Lissabon-Strategie orientieren.[49] Aus diesem Grund wird sich die Vergabe von Mitteln stärker an konkurrenzfähige Unternehmen richten, die Arbeitsplätze schaffen können.[50] Insgesamt sollen die Strukturfondsmittel auf einfachere, transparentere und effizientere Weise als bisher verteilt werden.[51] Folglich wird die Verantwortung bzgl. der Mittelverwendung und Finanzkontrolle in Zukunft mehr bei den die Strukturfonds verwaltenden nationalen und regionalen Behörden liegen. Diese gewinnen dadurch an Flexibilität, auch, weil die Auswahlkriterien für die Mittelvergabe zukünftig auch dezentral definiert werden.[52]

Für den Zeitraum 2007-2013 sind nur noch die zwei Strukturfonds EFRE und ESF sowie der Kohäsionsfonds vorgesehen, die auf den drei neuen Hauptzielen „Konvergenz", „Regionale Wettbewerbsfähigkeit und Beschäftigung" und „Europäische territoriale Zusammenarbeit" aufbauen. Einen Überblick über die Zuordnung der jeweiligen Ziele und Strukturfonds gibt Abb. 5.

---

[48] Vgl. http://europa.eu.int/comm/regional_policy/sources/docoffic/official/reports/cohesion3/cohesion3_de.htm, 25.04.2006.

[49] Vgl. http://www.eu-kommission.de/html/presse/pressemeldung.asp?meldung=6274, 25.04.2006.

[50] Vgl. Europäische Kommission – Vertretung in Deutschland (Hrsg.): Superlative der Strukturpolitik, in: EU-Nachrichten, Nr. 5, Berlin 2006, S. 1.

[51] Vgl. Unterredung mit Rolf Reiner, Projektleiter BelCAR der Wirtschaftsförderung Region Stuttgart GmbH, Stuttgart, am 13. April 2006.

[52] Vgl. http://europa.eu.int/rapid/pressReleasesAction.do?reference=MEMO/04/182&format=HTML&aged=1&language=EN&guiLanguage=fr, 25.04.2006.

Abb. 5: Ziele, Strukturfonds und -instrumente 2007-2013

Ziele	Strukturfonds und -instrumente		
Konvergenz	**EFRE**	**ESF**	**Kohäsionsfonds**
Regionale Wettbewerbsfähigkeit und Beschäftigung	**EFRE**	**ESF**	
Europäische Territoriale Zusammenarbeit	**EFRE**		
	Infrastruktur, Innovation, Investitionen etc.	**Ausbildung, Beschäftigung etc.**	**Umwelt- & Verkehrsinfrastrukturen, erneuerbare Energien**
	alle Mitgliedstaaten und Regionen		**Mitgliedstaaten mit BSP/Kopf <90%**

Quelle: Europäische Kommission (Hrsg.): In Europas Mitgliedstaaten und Regionen investieren. Nach der Einigung des Europäischen Rates über die Finanzielle Vorausschau: Die Umsetzung der EU-Strukturpolitik 2007-2013, Januar 2006, S. 8 (leicht modifiziert).[53]

Die erste Priorität „Konvergenz" ist wie die bisherige Ziel 1-Förderung für die Gebiete gedacht, deren Pro-Kopf-BIP unter 75% des EU-Durchschnitts liegt.[54] Ziel der Konvergenzprogramme ist es, zu mehr wirtschaftlichem Wachstum in der EU durch entsprechende Rahmenbedingungen beizutragen.[55] Der größte Anteil des Budgets der Strukturpolitik wird voraussichtlich in die Konvergenzprogramme fließen, die durch den EFRE, ESF und Kohäsionsfonds umgesetzt werden.[56]

Die zweite Priorität mit dem Titel „Regionale Wettbewerbsfähigkeit und Beschäftigung" fasst die bisherigen Ziele 2 und 3 zusammen. Sie umfasst das gesamte EU-

---

[53] http://europa.eu.int/comm/regional_policy/sources/slides/2007/cohesion_policy2007_de.ppt, 25.04.2006.

[54] Ebd.: S. 9.

[55] Vgl. Europäische Kommission (Hrsg.): Die Kohäsionspolitik im Dienste von Wachstum und Beschäftigung. Strategische Leitlinien der Gemeinschaft für den Zeitraum 2007-2013, 05.07.2005, S. 9.

[56] Unterredung mit Rolf Reiner, Projektleiter BelCAR der Wirtschaftsförderung Region Stuttgart GmbH, Stuttgart, am 13. April 2006.

Gebiet mit Ausnahme der unter Priorität 1 geförderten Regionen, da nach Meinung der KOM nicht nur die rückständigsten, sondern alle Mitgliedstaaten und Regionen sich den aktuellen gesellschaftlichen und wirtschaftlichen Herausforderungen stellen müssen.[57] Daher werden die Fördermittel dieser Priorität nicht mehr gebietsabhängig wie bisher, sondern thematisch vergeben. Einerseits soll durch den EFRE die Wettbewerbsfähigkeit und Attraktivität der Regionen gestärkt werden.[58] Andererseits fördert der ESF nationale Programme, durch die die Anpassungsfähigkeit der Arbeitnehmer und der Unternehmen sowie die Entwicklung von integrativen Arbeitsmärkten gefördert wird.[59]

Die Priorität „Europäische territoriale Zusammenarbeit" fördert durch den EFRE die grenzüberschreitende und transnationalen Zusammenarbeit sowie den Erfahrungsaustausch in der gesamten Union mit Hilfe von Netzwerken.[60]

Die derzeitige Gemeinschaftsinitiative URBAN II soll im neuen Förderzeitraum zu URBAN+ ausgebaut werden. URBAN+ wird dann nicht mehr eigenständig sein, sondern in die Regionalprogramme der 1. und 2. Priorität eingespeist werden.[61] Ähnlich verhält es sich bei EQUAL, das auch in die operationellen Programme der Mitgliedstaaten oder Regionen eingebunden werden soll.[62] Die Ziele von LEADER+ werden in ein neues Instrument der Gemeinsamen Agrarpolitik (GAP) integriert werden und nicht weiter Bestandteil der Strukturfonds sein.[63]

---

[57] Vgl. Europäische Kommission (Hrsg.): Die Kohäsionspolitik im Dienste von Wachstum und Beschäftigung. Strategische Leitlinien der Gemeinschaft für den Zeitraum 2007-2013, 05.07.2005, S. 9.

[58] Unterredung mit Rolf Reiner, Projektleiter BelCAR der Wirtschaftsförderung Region Stuttgart GmbH, Stuttgart, am 13. April 2006.

[59] Ebd.

[60] Vgl. Europäische Kommission (Hrsg.): Die Kohäsionspolitik im Dienste von Wachstum und Beschäftigung. Strategische Leitlinien der Gemeinschaft für den Zeitraum 2007-2013, 05.07.2005, S. 11.

[61] Vgl. http://europa.eu.int/rapid/pressReleasesAction.do?reference=MEMO/04/182&format= HTML&aged=1&language=EN&guiLanguage=fr, 25.04.2006.

[62] Vgl. http://europa.eu.int/comm/employment_social/esf2000/2007-2013_de.html, 25.04. 2006.

[63] Vgl. http://europa.eu.int/rapid/pressReleasesAction.do?reference=MEMO/04/182&format= HTML&aged=1&language=EN&guiLanguage=fr, 25.04.2006.

Wie die Programme im Rahmen der Strukturpolitik fortgeführt werden, richtet sich außerdem nach dem neuen EU-Finanzrahmen 2007-2013. Bis Ende des Jahres 2006 will die Kommission mit den Mitgliedstaaten die Programmplanung für die kommende Förderperiode abschließen. Laut einer Pressemitteilung der KOM vom 24.04.2006 kann Deutschland für die Zeit von 2007 bis 2013 mit insgesamt 23,36 Mrd. EUR aus den EU-Strukturfonds rechnen.[64] Im Förderziel „Konvergenz" entfallen auf Mecklenburg-Vorpommern 1,8 Mrd. EUR, auf Brandenburg 2,3 Mrd. EUR, auf Sachsen-Anhalt 2,7 Mrd. EUR, auf Thüringen 2,2 Mrd. EUR, auf Sachsen 4,2 Mrd. EUR und auf Niedersachsen 885 Mio. EUR.[65] Die alten Bundesländer und Berlin erhalten unter dem Förderziel „Wettbewerbsfähigkeit" 8,3 Mrd. EUR; weitere 720 Mio. EUR fließen in „Europäische territoriale Zusammenarbeit".[66]

⇨ Weitere Informationen zur neuen Förderperiode 2007-2013 im Internet: http://europa.eu.int/comm/regional_policy/funds/2007/index_en.htm

4.4 Finanzierungshilfen

Ziel der Finanzierungshilfen der EU ist es, Banken dabei zu unterstützen und dazu anzuregen, ihr Kreditpotenzial für KMU zu erweitern und die Gründung von Startups durch Start- und Risikokapitalaktionen zu erleichtern. Insgesamt soll das für KMU zur Verfügung stehende Kreditvolumen erhöht und der Zugang zu Finanzmitteln erleichtert werden. Die zinsgünstigen Kredite, Darlehen oder Bürgschaften werden meist indirekt durch von der KOM beauftragte nationale Banken oder Finanzinstitute, sogenannte Finanzintermediäre, vergeben. An einer Förderung interessierte Unternehmen müssen diese in der Regel über die Hausbank beantragen (Hausbankprinzip).[67] Grundsätzlich sind bei einer Antragstellung von Finanzförderungen zwei Kriterien zu beachten: Aus dem Antrag muss ersichtlich sein, dass das Projekt nicht oder nur schwer ohne eine entsprechende Förderung umgesetzt werden kann (Subsi-

---

[64] Vgl. http://www.eu-kommission.de/html/presse/pressemeldung.asp?meldung=6274, 25.04. 2006.

[65] Ebd.

[66] Ebd.

[67] Vgl. IHK Düsseldorf (Hrsg.): Im Dickicht. Die IHK Düsseldorf bringt Licht in den Förderdschungel, in: IHK-Magazin, Nr. 01, 2006, S. 38.

daritätsprinzip) und dass das Projekt noch nicht begonnen wurde (Rückwirkungsverbot).[68]

4.4.1 Europäische Investitionsbank (EIB)

Die Europäische Investitionsbank (EIB) ist die Finanzierungsinstitution der EU und fördert durch langfristig orientierte Bankfinanzierung Investitionsvorhaben, die zur Erreichung der Ziele der EU beitragen. Die EIB gewährt Darlehen für Investitionen sowohl innerhalb als auch außerhalb der EU. Zusammen mit dem Europäischen Investitionsfonds (EIF) bildet sie die EIB-Gruppe und hat ihren Sitz in Luxemburg.

Projekte in folgenden Bereichen sind förderungswürdig:
- Wirtschaftlicher und sozialer Zusammenhalt;
- Verkehrsprojekte von gemeinsamem Interesse;
- Energieprojekte von gemeinsamem Interesse;
- Schutz und Verbesserung der Umwelt;
- Innovation-2010-Initiative (i2i);
- Humankapital.[69]

Die Sektoren Energie, Industrie, Verkehr, Telekommunikation, Dienstleistungen, Wasserversorgung, Abwasserbeseitigung, Bildung, Gesundheit und Landwirtschaft, Fischerei und Forstwirtschaft kommen für durch die EIB geförderte Projekte in Frage.[70]

Im Rahmen der Lissabon-Strategie wurde 2000 die i2i-Initiative von der EIB-Gruppe ins Leben gerufen. Ziel ist die Unterstützung von innovationsorientierten Investitionen in den Bereichen der Informationsgesellschaft, Forschung und Entwicklung sowie Allgemeine und berufliche Bildung.[71] Gleichzeitig wurde die Risikokapitalfinanzierung des EIF zur Unterstützung innovativer KMU ausgeweitet.[72] Bis 2010

---

[68] Ebd.
[69] Vgl. http://www.eib.org/projects/loans/eligibility/, 11.04.2006.
[70] Vgl. http://www.eib.org/projects/loans/sectors/, 11.04.2006.
[71] Vgl. http://www.eib.org/site/index.asp?designation=i2i, 17.04.2006.
[72] Ebd.

sollen in diesem Rahmen Darlehen in Höhe von insgesamt 40 Mrd. EUR vergeben werden.[73]

⇨ Weitere Informationen zur i2i-Initiative im Internet unter:
  http://www.eib.org/i2i/en/index.html

Außerhalb der EU werden Projekte durch langfristige Darlehen finanziert, welche die Entwicklungs- und Kooperationspolitik der EU umsetzen. Investitionen können somit sowohl in den mittel- und osteuropäischen Ländern, den EU-Beitrittsländern und den westliche Balkanländer, als auch in den Ländern der Europa-Mittelmeer-Partnerschaft, den AKP-Staaten, Asien und Lateinamerika durch die EIB finanziert werden.

Die EIB gewährt entweder Einzeldarlehen für Großprojekte, an denen KMU eher als Projektpartner teilnehmen, oder Globaldarlehen.

„Globaldarlehen sind Kreditlinien, die die Bank Finanzierungsinstituten oder Geschäftsbanken einräumt. Diese Partnerinstitute verwenden den vereinbarten globalen Kreditrahmen für die Finanzierung von Investitionen kleiner und mittlerer Unternehmen oder von Infrastrukturinvestitionen lokaler oder regionaler Gebietskörperschaften."[74] Dadurch wird das KMU zur Verfügung stehende Finanzierungsvolumen erhöht und die Zinssätze werden gesenkt.

Die Einzeldarlehen können direkt bei der EIB beantragt werden, während die Globaldarlehen über Finanzintermediäre in den einzelnen Ländern abgewickelt werden.

⇨ Partnerinstitute in Deutschland siehe Anhang, S. 148ff.

⇨ Übersicht mit Links zu Finanzintermediären in allen Ländern:
  http://www.eib.org/news/news.asp?news=33

Förderungsart:
- Einzeldarlehen bei Großprojekten von mind. 25 Mio. EUR;

---

[73]   Weidenfeld, Wessels 2006: S. 149.
[74]   http://www.eib.org/Attachments/lending/inter_de.pdf, 11.04.2006.

- Mittel aus Globaldarlehen für KMU und für Infrastrukturinvestitionen mit einem Kredithöchstbetrag von 12,5 Mio. EUR;[75]
- EIB-Darlehen decken bis zu 50% der Investitionskosten;
- die Darlehenslaufzeit beträgt i.d.R. zwischen 5 und 12 Jahren.

Bei einer Finanzierung prüft die EIB, ob das Projekt bestimmte wirtschaftliche, technische, ökologische und finanzielle Anforderungen erfüllt.[76]

⇨ Weitere Informationen im Internet: http://www.eib.org

⇨ Leitfaden zur Beantragung von Einzeldarlehen im Internet: http://www.eib.eu.int/Attachments/strategies/cycle_de.pdf

4.4.2 Europäischer Investitionsfonds (EIF)

Der Europäische Entwicklungsfonds (EIF) ist eine Tochtergesellschaft der EIB. Ziel des EIF ist es, den Aufbau und die Entwicklung von KMU in den EU-Mitgliedstaaten und in den Beitrittsländern zu fördern. Der EIF bietet Garantien, um langfristig orientierte Investitionen für KMU zu finanzieren. Die für KMU bestimmten Finanzierungsmittel des EIF in den Bereichen der Risikokapital-finanzierung und der Garantien ergänzen die Globaldarlehen der EIB. Zum einen unterstützen die Risikokapitalinstrumente des EIF insbesondere technologieorientierte Unternehmen in der Frühphase durch Beteiligungen an Risikokapitalfonds. Zum anderen werden durch die Garantieinstrumente des EIF Finanzinstituten, die Darlehen an KMU vergeben, Garantien bereitgestellt. Die EIB ist Mehrheitsaktionär des mit 2 Mrd. EUR Eigenkapital ausgestatteten Fonds und ist auch für dessen Verwaltung zuständig.[77]

Zwischengeschaltete nationale Banken und Finanzinstitute sind als Finanzintermediäre für die Durchführung der einzelnen Operationen des EIF zuständig, d.h. der EIF ist nicht direkt in die einzelnen Entscheidungen über die Gewährung von Risikoka-

---

[75] Vgl. http://www.eib.org/projects/dynamic.asp?cat=38, 18.04.2006.
[76] Vgl. http://www.eib.eu.int/Attachments/strategies/cycle_de.pdf, 19.04.2006.
[77] Weidenfeld, Wessels 2006: S. 422.

pital oder Garantien eingebunden. Folglich müssen sich KMU, die eine Finanzierung durch den EIF in Betracht ziehen, an ein Partnerinstitut des EIF in ihrem Land wenden.

⇨ Über die Internetseite des EIF kann man die Namen und Adressen der nächstgelegenen vom EIF beauftragten Banken erfahren.[78]

Im Rahmen der Finanzierungsinstrumente des Mehrjahresprogrammes für Unternehmen und unternehmerische Initiative verwaltet der EIF die „ETF-Startkapitalfazilität", die „Startkapitalaktion" und die „KMU-Bürgschaftsfazilität". Die „ETF-Startkapitalfazilität" und die „Startkapitalaktion" unterstützen die Gründung und Finanzierung von innovativen KMU mit Wachstums- und Beschäftigungspotential in ihrer Anfangsphase durch Investitionen in entsprechend spezialisierte Wagniskapitalfonds und Startkapitalfonds.[79] Ziel der „KMU-Bürgschaftsfazilität" ist es, die Kreditvergabe an KMU zu erhöhen.

Kreditarten der „KMU-Bürgschaftsfazilität":
- Kreditgarantien zur Förderung von KMU mit Wachstumspotenzial und höchstens 100 Beschäftigten;
- Kleinstkreditgarantien für Kredite an sehr kleine Unternehmen;
- Eigenkapitalgarantien für Garantiesysteme, die Eigenkapitalinvestitionen in KMU garantieren;
- IKT-Garantien für Kredite zur Finanzierung von IT-Hardware und -Software.[80]

⇨ Weitere Informationen zur „KMU-Bürgschaftsfazilität" im Internet:
http://www.eif.org/portfolio/ecport

Außerdem vergibt der EIF eine „Mikro-Finanz-Garantie-Fazilität" an Kreditinstitute, die Kleinstunternehmen (vgl. Europäische KMU-Definition S. 19) in Form von Mikrokrediten zu Gute kommen.[81]

---

[78]   Vgl. http://www.eif.org/faq/faq_general/#q6, 31.01.2006.
[79]   Vgl.: http://www.bfai.de/DE/Navigation/Datenbank-Recherche/Entwicklungsprojekte/EU-P rojekte/andere-Foerderprogramme/andere_Foerderprogramme-node.html, 04.05.2006.
[80]   Ebd.

⇨ Mehr Information zum EIF befindet sich im Internet unter: http://www.eif.org

---

[81] Vgl. Europäischer Investitionsfonds (Hrsg.): Promoting SME Finance, Luxemburg 2005, S. 3, http://www.eif.org/Attachments/pub_corporate/eif_leaflet_en.pdf, 26.04.2006.

5 Antragswege

Grundsätzlich lassen sich zwei unterschiedliche Arten von Antragswegen bei den von der EU-Kommission betreuten Projekten unterscheiden: Entweder werden Unternehmen zur Einreichung von Projektvorschlägen über einen Aufruf der KOM, dem *call for proposals*, aufgefordert, oder sie können sich an einer Ausschreibung, einem *call for tenders*, beteiligen. Die Beantragung der Strukturfondsmittel erfolgt für KMU hingegen dezentral in den EU-Mitgliedsstaaten, und für Finanzierungshilfen i.d.R. auch.

5.1 Aufrufe zur Einreichung von Projektvorschlägen

Die EU-Fördermittel basieren auf einer jährlichen Programmplanung, die bis zum 31. März jeden Jahres von den jeweiligen Generaldirektionen auf ihrer Internetseite veröffentlicht werden.[82] Diese Jahresprogramme enthalten Ziele, Zeitplan, verfügbarem Budget, Vergabebedingungen etc. der Finanzhilfeplanung für das betreffende Jahr. Auf dieser Grundlage veröffentlichen die Generaldirektionen, die meist einen direkten Link unter dem Stichwort „Finanzierung" oder *"funding"* zu den jeweiligen Fördermöglichkeiten bieten, anschließend auf ihren Internetseiten Aufforderungen zur Einreichung von Projektvorschlägen. Unter Umständen werden die Aufforderungen zur Einreichung von Vorschlägen auch im Amtsblatt der Europäischen Union, Reihe C, veröffentlicht.

⇨ Übersicht mit allen Generaldirektionen im Internet:
   http://www.europa.eu.int/comm/dgs_de.htm

⇨ Amtsblatt C der EU im Internet: http://www.europa.eu.int/eur-lex/de/search/
   search_oj.html

Bei einer Aufforderung zur Einreichung von Vorschlägen müssen die Bewerber innerhalb einer bestimmte Frist einen Vorschlag für eine Maßnahme einreichen, der den angestrebten Zielen entspricht und die geltenden Voraussetzungen erfüllt. Der

Aufruf zur Einreichung von Projektvorschlägen enthält genaue Informationen für den Antragsteller etwa zur Projektlaufzeit, zum Adressatenkreis oder zur Einreichungsfrist sowie meist einen Leitfaden für Antragsteller. Dieser kann weitere Informationen z.B. zu den Auswahlkriterien oder Antragsformularen enthalten. Ebenfalls stehen in einem *call for proposals* die entsprechenden Projektansprechpartner und in der Regel auch eine Internetadresse, unter der weitere Unterlagen heruntergeladen werden können.[83] Übrigens können im Rahmen eines Projektaufrufs je nach Gesamtbudget mehrere Projekte für eine Finanzierung ausgewählt werden.[84] Die EU finanziert generell zwischen 30-80% der Projektkosten.[85]

Allgemein lässt sich ein EU-Projekt in folgende Projektphasen einteilen:

1. Vorbereitung des Projektes,
2. Antragstellung,
3. Vertragsabschluss,
4. Projektdurchführung, Finanzabwicklung, Berichterstattung,
5. Projektabschluss,
6. Evaluierung.[86]

Nach der fristgerechten Einreichung der Projektanträge werden diese in der Regel von unabhängigen Sachverständigen begutachtet (vgl. Abb. 11, S. 95). Die Generaldirektionen und Exekutivagenturen der KOM wenden bei der Projektprüfung und -auswahl ein festgelegtes Verfahren an, das in den Unterlagen des Aufrufs genau erläutert ist.[87] Jeder Antrag wird nach dem Grundsatz der Gleichbehandlung anhand der in den *calls for proposals* genannten Kriterien geprüft und bewertet. Nach eingehender Prüfung wird jedem Bewerber persönlich mitgeteilt, wie über seinen Vorschlag entschieden wurde.

---

82   Vgl.: http://europa.eu.int/grants/introduction_de.htm, 20.04.2006.
83   Unterredung mit Rolf Reiner, Projektleiter BelCAR der Wirtschaftsförderung Region Stuttgart GmbH, Stuttgart, am 13. April 2006.
84   Heidenreich 2004: S. 14.
85   Ebd.
86   Vgl. http://www.eufis.de/BFS/Projektmanagement/Projektphasen.htm, 22.04.2006.
87   Vgl.   http://www.eufis.de/BFS/Projektmanagement/AntragsbegleitungAllgHinweise.htm, 05.05.2006.

Wenn die Kommission einen Antrag ausgewählt hat, finden die Vertragsverhandlungen statt. (vgl. Abb. 11, S. 95). Nach erfolgreichen Vertragsverhandlungen wird ein Vertrag geschlossen, in dem die gegenseitigen Rechte und Pflichten der KOM und des Begünstigten festgelegt sind. Für diesen Vertrag gibt es ein in der KOM einheitlich geltendes Muster. Der Vertrag besteht aus folgenden Teilen:

-   Vereinbarung mit Kernbestimmungen zum geförderten Projekt;
-   technischer Anhang: detaillierte Darstellung des Gegenstands und des Inhalts des Projektes;
-   Bedingungen für Finanzhilfevereinbarungen;
-   Finanzplan: hier sind die Ausgaben nach Einzelpositionen aufgeschlüsselt.

Der Vertrag kann je nachdem auch weitere Bestandteile enthalten.

Die Vergabe der Fördermittel erfolgt nach dem Grundsatz der Transparenz, weshalb die Kommissionsdienststellen jeweils zum 30. Juni auf ihrer Internetseite ein Verzeichnis veröffentlichen, in dem alle im Vorjahr vergebenen Finanzhilfen aufgeführt sind.[88]

5.2 Ausschreibungen von Dienstleistungen, Materialien oder Bauleistungen

Abgesehen von den Finanzhilfen, die im Anschluss an *calls for proposals* gewährt werden, vergeben die Kommissionsdienststellen auch öffentliche Aufträge über Lieferungen, Bauleistungen und Dienstleistungen im Anschluss an Ausschreibungen, den sogenannten *calls for tenders*. Ausschreibungen sind v.a. im Außenwirtschaftsbereich bei den Drittlandprogrammen üblich. Die KOM oder andere europäische Institutionen schreiben Dienstleistungen, Materialien oder Bauleistungen aus, auf die Unternehmen ein Angebot übermitteln können. Unternehmen konkurrieren bei einem *call for tender* um einen einzigen Auftrag. Zuschlagskriterium ist das Verhältnis zwischen dem angebotenen Preis und der Qualität. Im Gegensatz zu den *calls for proposals* wird bei den *calls for tenders* die gesamte Leistungserbringung bezahlt.

Eine Ausschreibung läuft im Normalfall folgendermaßen ab:

1. Veröffentlichung einer Ausschreibungsbekanntmachung und Aufruf zur Einreichung eines Angebots;
2. Entscheidung über die Bewerberliste und Benachrichtigung der Bewerber (bei international beschränkten Ausschreibungen);
3. Versand der Ausschreibungsunterlagen;
4. Eingang, Öffnung in öffentlicher Sitzung und Auswertung der Angebote;
5. Auftragserteilung, Benachrichtigung der anderen Anbieter und Veröffentlichung einer Vergabebekanntmachung;
6. Auftragsdurchführung.[89]

Ausschreibungen sind im Supplement S des Amtsblattes der EU veröffentlicht, das im Internet über die „TED-Datenbank" abrufbar ist. Bei Ausschreibungen im Außenwirtschaftsbereich werden diese zusätzlich bei EuropeAid, dem Amt für Zusammenarbeit der Europäischen Kommission, veröffentlicht. Allerdings werden Aufträge unter einem bestimmten Auftragswert nicht in der TED-Datenbank oder bei EuropeAid ausgeschrieben, sondern in einem vereinfachtem Verfahren nur lokal veröffentlicht. Die Schwellenwerte für eine europaweite Ausschreibung betragen bei Bauaufträgen 5.000.000 EUR, bei Dienstleistungsaufträgen 200.000 EUR und bei Lieferaufträgen 150.000 EUR. Abb. 6 zeigt noch weitere Schwellenwerte je nach Ausschreibungsvolumen.

[88]   Vgl. http://europa.eu.int/grants/introduction_de.htm, 20.04.2006.
[89]   Vgl. Europäische Investitionsbank (Hrsg.): Leitfaden für die Auftragsvergabe, Luxemburg 2004, S. 13, www.eib.org/Attachments/thematic/procurement_de.pdf, 25.04.2006.

Abb. 6: Schwellenwerte für Ausschreibungsverfahren

Art des Auftrags	Internationale Ausschreibung	Lokale öffentliche Ausschreibung	Vereinfachtes Verfahren	Freihändige Vergabe
Dienstleistungsaufträge	200.000 EUR (international beschränkte Ausschreibung)		< 200.000 EUR und > 5.000 EUR	5.000 EUR
Lieferaufträge	150.000 EUR (international öffentliche Ausschreibung)	< 150.000 EUR und ab 30.000 EUR	< 30.000 EUR und > 5.000 EUR	5.000 EUR
Bauaufträge	5.000.000 EUR (i.d.R. international öffentliche Ausschreibung)	< 5.000.000 EUR und ab 300.000 EUR	< 300.000 EUR und > 5.000 EUR	5.000 EUR

Quelle: Heidenreich 2004: S. 41 (leicht modifiziert).

Desweiteren wird bei internationalen Ausschreibungen unterschieden in international öffentliche Ausschreibungen, international beschränkte Ausschreibungen sowie die freihändige Vergabe.[90] International öffentliche Ausschreibungen werden im sogenannten „offenen Verfahren" vergeben, d.h., dass alle interessierten Unternehmer ein Angebot abgeben können. Statt dessen gibt es bei den international beschränkten Ausschreibungen eine Vorauswahl mit Bewerberliste im Rahmen eines Präqualifikationsverfahrens, aufgrund dessen nur die vorher ausgewählten Unternehmen zur Angebotsabgabe aufgefordert werden. Die freihändige Vergabe ist ein Verfahren, in dem ausgewählte Unternehmen von Projektträgern angesprochen werden und über die Auftragsbedingungen verhandelt wird. Bei den lokalen nationalen Ausschreibungen wird das übliche Verfahren des Landes des Projektträgers angewendet. Die Ausschreibungsunterlagen sind dann normalerweise in der Amtssprache des jeweiligen Landes verfasst.

Die Bekanntmachungen erscheinen bei EuropeAid entweder auf Englisch (z.B. TACIS, PHARE), Französisch (z.B. Europäischer Entwicklungsfonds) oder auch Spanisch/Portugiesisch (Lateinamerika-Programme), während sie in der TED-Datenbank

---

[90] Ebd.: S. 19.

zeitgleich in allen Amtssprachen, also auch auf Deutsch, veröffentlicht werden.[91] Dazugehörende weitere Unterlagen können teilweise direkt bei EuropeAid in der Sprache des Ziellands oder in Englisch heruntergeladen werden oder müssen bei der ausschreibenden Stelle insbesondere bei umfangreicheren Dossiers z.B. für Bauaufträge erworben werden.[92]

In der TED-Datenbank und bei EuropeAid ist die Suche nach Ausschreibungen anhand von verschiedenen Kriterien wie Zielland oder Art der Leistung möglich.[93] Man kann dort außerdem auch nach bereits abgeschlossenen Ausschreibungen recherchieren.

⇨ TED-Datenbank: http://ted.publications.eu.int/official

⇨ EuropeAid: http://europa.eu.int/comm/europeaid/index_de.htm

⇨ Informationen über Ausschreibungsbedingungen und -vorschriften bei EU-Drittlandsprogrammen im Internet unter:
http://www.europa.eu.int/comm/europeaid/tender/gestion/index_en.htm

⇨ Aktualisierter „Practical guide to contract procedures for EC external actions":
http://europa.eu.int/comm/europeaid/tender/practical_guide_2006/documents/new_prag_en_final.pdf

⇨ Leitfäden zu Ausschreibungen außerhalb der Außenwirtschaftsprogramme unter:
http://www.europa.eu.int/comm/internal_market/publicprocurement/guidelines_de.htm

---

[91]   Heidenreich 2004: S. 41.
[92]   Ebd.
[93]   Ebd.: S. 16.

5.3 Nationale Ausschreibungen bei Strukturfondsprogrammen

Bei national verwalteten EU-Programmen im Rahmen der Strukturfonds sind die nationalen Behörden für die Ausschreibung des Projektes zuständig. Unternehmen, die an Fördermitteln aus den Strukturfonds interessiert sind, müssen sich daher an die jeweiligen nationalen Institutionen wenden. Daraus ergeben sich „kürzere Wege" als über Brüssel, und ein weiterer Vorteil ist, dass die Kommunikation in der Landessprache erfolgt.

Generell gilt bei den Strukturförderprogrammen der EU, dass nur diejenigen Unternehmen teilnehmen können, die in einem Zielgebiet des entsprechenden Strukturfonds ansässig sind (vgl. Karte mit Zielgebieten, S. 58). Auch deutsche Unternehmen, die eine Tochterfirma in einem anderen EU-Mitgliedstaat haben, können dort vor Ort Strukturfondsmittel in Anspruch nehmen. Die Antragstellung muss in diesem Fall bei den Behörden in dem jeweiligen Mitgliedstaat erfolgen. Hierbei ist zu berücksichtigen, dass die Projekte in der jeweiligen Landessprache ausgeschrieben und eingereicht werden müssen. Wenn sich die Tochterfirma für eine KMU-spezifische Maßnahmen bewerben möchte, ist zu prüfen, ob sie trotz der Abhängigkeit zum deutschen Mutterunternehmen unter die KMU-Definition der EU fällt.[94]

Wie und wo der Aufruf (*call*) veröffentlicht wird, hängt von den nationalen bzw. regionalen Behörden ab. Wenn man an der Teilnahme an einem Projekt im Rahmen der Strukturförderung interessiert ist, sollte man daher rechtzeitig Kontakte zu den implementierenden lokalen Behörden knüpfen und den Prozess der Umsetzung der Förderprioritäten der KOM in die nationalen oder regionalen Programme verfolgen.[95]

Die Abwicklung der Projekte findet bei den Gemeinschaftsinitiativen genauso wie bei den Strukturfonds auf regionaler bzw. nationaler Ebene statt. Außer bei den INTERREG- und EQUAL-Projekten sind keine europäischen Projektpartner ausdrücklich verlangt. Oft ist jedoch die Zusammenarbeit mit lokalen oder regionalen Partnern

---

[94] Siehe Kapitel 3, S. 9.
[95] Heidenreich 2004: S. 46.

(Behörden, Einrichtungen, NGOs) erwünscht. Es empfiehlt sich besonders die Einbindung von Partnern, die Expertise im Hinblick auf das Projekt haben.[96]

⇨ Liste der Verwaltungsbehörden in Deutschland im Internet unter:
   http://www.europa.eu.int/comm/regional_policy/manage/authority/authority_de.cf
   m?pay=DE

⇨ Liste der zuständigen nationalen/regionalen Behörden in allen Mitgliedsstaaten:
   http://europa.eu.int/comm/regional_policy/manage/authority/authority_de.cfm

⇨ Links zu Deutschland:
   http://europa.eu.int/comm/regional_policy/country/gateway/allemagne_de.cfm?g
   w_ide=276&lg=de

Die Projektphasen für nationale Projekte sind identisch mit denen, die von der Europäischen Kommission verwaltet werden. (siehe S. 74) Zwischen der Antragsabgabe und einem Bescheid über eine Zustimmung oder Ablehnung des Antrags können bis zu 6 Monate vergehen.[97] Die nationalen Koordinierungsstellen treffen zunächst eine Vorauswahl, über die dann in einem Begleitausschuss abgestimmt wird.[98] Anschließend werden die Antragsteller über die Bewilligung oder Ablehnung des Projektes benachrichtet. Die Benachrichtigung kann gegebenfalls noch Änderungsvorschläge enthalten, die berücksichtigt werden müssen, um den endgültigen Zuschlag für das Projekt zu erhalten.[99] Im Fall einer Projektzustimmung wird zwischen der nationalen Koordinierungstelle und dem Antragsteller ein Vertrag unterzeichnet.[100]

---

[96]   Ebd.
[97]   Vgl. http://www.eufis.de/BFS/Projektmanagement/AntragsbegleitungMS.htm, 17.12.2005.
[98]   Ebd.
[99]   Ebd.
[100]   Ebd.

5.4 Beantragung von Finanzierunghilfen

Um im Rahmen der für KMU bestimmten Finanzierungsmittel des EIF oder der Globaldarlehen der EIB an vergünstigte Darlehen und Garantien zu gelangen, müssen sich KMU an die jeweiligen beauftragten nationalen Finanzintermediäre wenden. Im Gegensatz zu den *calls* können Unternehmen hier jederzeit eine finanzielle Förderung beantragen.

⇨ Eine Liste mit den Finanzintermediären in Deutschland befindet sich im Anhang, S. 148-152.

6 Tipps für die Beantragung von EU-Fördermitteln

6.1 Allgemeine Hinweise

Schon vor einer Antragstellung sollte man genaue Vorstellungen darüber haben, was für ein Projekt man durchführen möchte. Es ist empfehlenswert, sich auf lange Sicht und frühzeitig über die EU-Politik in dem in Frage kommenden Bereich und die entsprechenden Rahmen- und Arbeitsprogramme zu informieren und auch Informationen über mögliche Förderprogramme rechtzeitig einzuholen.

⇨ Jährliche Arbeitsprogramme der KOM im Internet:
   http://www.europa.eu.int/comm/off/work_programme/index_de.htm

Profunde Kenntnis der allgemeinen Grundlinien und Zielsetzungen eines Programms sind für eine erfolgreiche Antragstellung notwendig. Aus den Arbeitsprogrammen wird außerdem die grobe Zeitplanung der KOM für ihre Ausschreibungen ersichtlich.

⇨ Somit können KMU auf dieser Grundlage Projektanträge schon als Kurzskizze vorbereiten.[101]

Zusätzlich ist es notwendig, sich rechtzeitig nach vorgesehenen Ausschreibungsterminen erkundigen und sich regelmäßig im Internet über aktuelle Ausschreibungen informieren, damit eine zeitnahe Antragstellung möglich ist. Denn die Fristen für die Einreichung der Vorschläge sind meist knapp bemessen.[102] Die Einhaltung der Antragsfristen ist Voraussetzung, um an einer Förderrunde partizipieren zu können.

⇨ Neben der KOM und deren Delegation in Deutschland veröffentlichen auch Verbände und andere Institutionen Ausschreibungen der EU, z.B. bietet der Fachver-

---

[101] Unterredung mit Rolf Reiner, Projektleiter BelCAR der Wirtschaftsförderung Region Stuttgart GmbH, Stuttgart, am 13. April 2006.
[102] Heidenreich 2004: S. 39.

lag des Deutschen Wirtschaftsdienstes auf seiner Internetseite[103] einen kostenlosen Förderkalender mit aktuellen Ausschreibungen an.

Früh sollte man darüber Bescheid wissen, ob die eigenen Ziele mit den Zielen des EU-Projektes identisch sind bzw. sinnvoll ergänzt werden und ob das eigene Projekt genau in das ausgeschriebene EU-Programm passt.[104] Außerdem ist zu klären, ob und welche Projektpartner man benötigt und ob man über die entsprechenden Kontakte zu potentiellen Partnern bereits verfügt. Es empfiehlt sich daher, schon im Vorfeld Partnerschaften anzubahnen und an Netzwerken im jeweiligen Fachbereich teilzunehmen, um eventuelle zukünftige Projektpartner ausfindig zu machen. Es ist nicht nur wichtig, mögliche Projektpartner im eigenen Land zu kennen, sondern auch Partner im Fachgebiet aus anderen EU-Mitgliedsländern oder auch Drittstaaten, da eine transnationale Zusammenarbeit bei den meisten Projekten gewünscht ist. Dabei ist darauf zu achten, dass das zukünftige Projektteam sowohl geografisch als auch organisatorisch ausgewogen ist.

⇨ Hilfe bei der Suche nach geeigneten Partnern bieten u.a. die EIC oder IRC, Verbände, Forschungsgemeinschaften wie die Arbeitsgemeinschaft industrieller Forschungsvereinigungen (AiF), IHKs oder deutsche Auslandshandelskammern (AHKs) in den jeweiligen Ländern an:
- Adressen der EIC und IRC im Anhang, S. 134-143;
- Informationen zur AiF im Internet unter: http://www.aif.de;
- Adressen der IHKs im Internet unter: http://www.ihk.de;
- Adressen der AHKs nach Ländern im Internet unter: http://www.ahk.de.

Für KMU, die noch keine Erfahrung mit der Beantragung von EU-Projekten hat, ist es zudem wichtig, rechtzeitig Kontakt mit Beratungsstellen wie den EIC, IRC oder den IHKs (Adressen siehe oben) aufzunehmen. Eventuell ist es in diesem Fall auch besser, sich erstmal als Partner einem bereits erfahrenen Konsortium anzuschließen, als ein Projekt auf „eigene Faust" durchzuführen. Eine weitere Möglichkeit besteht darin, einen externen Berater heranzuziehen. Dabei muss aber Klarheit darüber be-

---

[103]   Siehe: http://www.dwd-verlag.de, 20.04.2006.
[104]   Heidenreich 2004: S. 39.

stehen, dass der fachliche Teil und die entsprechenden individuellen Zielsetzungen dann trotzdem vom Unternehmen selbst erarbeitet werden müssen.[105]

Es ist ratsam, sich schon im Vorfeld darüber zu informieren, mit welcher Förderung bzw. Förderquote man rechnen kann. Diese ergibt sich aus dem für ein Programm oder einen Politikbereich zur Verfügung stehenden Budget. Rechtzeitig muss man davon ausgehend für eine ausreichende Finanzierungssicherung für das Projekt sorgen, da die Fördermittel i.d.R. nur einen Teil der Kosten abdecken und den Einsatz eigener finanzieller Ressourcen nicht ersetzen, sondern nur ergänzen. Die Möglichkeit einer Vollfinanzierung besteht ausschließlich für Projekte, die außerhalb der Europäischen Union durchgeführt werden.[106] Im Rahmen von Ausschreibungen müssen Investitionen vorfinanziert werden. Auch Nachweise zur Rechtsfähigkeit und Qualität sollte man schon vor Antragstellung parat haben. Man sollte sich zusätzlich darüber im klaren sein, dass die finanziellen Risiken des Projektes getragen werden müssen, solange man noch keinen Zuschlag erhalten hat. Genauso kann es später im Verlauf des Projektes zu finanziellen Lücken und Engpässen kommen, u.a. dadurch, dass die KOM die Förderung nicht auf einmal, sondern in Tranchen zahlt. Außerdem kann es zu Verzögerungen bei den Überweisungen durch die KOM oder die beteiligten Institutionen kommen, so dass Zwischenfinanzierungslösungen eingeplant werden müssen.[107] Eine gute Vorbereitung ist hier unabdingbar.

Insbesondere bei grenzüberschreitenden Projekten müssen in der Zusammenarbeit interkulturelle Unterschiede berücksichtigt werden, damit das Projekt nicht aufgrund einer frustrierenden Kooperation im Projektteam scheitert. Zudem sind gute Fremdsprachenkenntnisse – zumindest in Englisch – für die Projektvorbereitung und -durchführung und für die Kommunikation mit den internationalen Partnern und den projektverwaltenden Stellen wichtig.

⇨ Selbst wenn eine Ausschreibung in der TED-Datenbank auf Deutsch veröffentlicht worden ist, empfiehlt es sich, die Anträge in Englisch oder Französisch einzureichen, um Wettbewerbsnachteile im Vergleich zu anderen konkurrierenden Angeboten allein aufgrund der Sprache auszuschließen.

---

[105]   Unterredung mit Rolf Reiner, Projektleiter BelCAR der Wirtschaftsförderung Region Stuttgart GmbH, Stuttgart, am 13. April 2006.

[106]   Vgl. http://europa.eu.int/grants/introduction_de.htm, 20.04.2006.

Generell ist der sichere Umgang mit dem Internet sowohl für Ausschreibungen als auch für die Projektbeantragung und -durchführung auf einen *call for proposal* unerläßlich.[108] Mittlerweile befinden sich die genauen Programmbeschreibungen, Rechtstexte, Aufforderungen zur Einreichung von Projektvorschlägen, Ausschreibungsunterlagen, etc. fast ausschließlich im Internet. Überdies erfolgt die Korrespondenz und Einreichung von Dokumenten oft über E-Mail.

6.2 Praktische Tipps zur Erarbeitung von Projektvorschlägen

Gerade für KMU ist es oft nicht leicht, sich bei den zahlreichen und detaillierten Anforderungen der Projekteinreichung zurechtzufinden und dies meist mit nur geringen vorhandenen Ressourcen. Der Aufwand bereits im Vorfeld sehr hoch, z.B. internationale Partner zu finden oder den Projektantrag zu stellen. Auch die Projektdurchführung ist komplex. Daher werden nachfolgend einige Tipps zur Antragstellung und zur Projektdurchführung gegeben, ergänzt durch praxisorientierte Leitfäden und Checklisten.

Je nach Förderbereich müssen unterschiedliche Bedingungen erfüllt werden. Es ist daher sehr wichtig, sich mit den für das jeweilige Programm geltenden Bedingungen schon rechtzeitig umfassend vertraut zu machen. Überdies ist es bereits vor Projektbeginn sinnvoll, nationale Kontaktstellen, die von der KOM im *call* als Ansprechpartner benannt sind, über den entstehenden Projektantrag zu informieren und die Erfolgsaussichten abschätzen zu lassen.[109]

Wichtig bei der Auswahl der Projektpartner ist, dass diese vertrauenswürdig sind und deren Zahlungsfähigkeit im Rahmen des Projektes gesichert ist. Ein Konsortialvertrag regelt die Rechte und Pflichten der Partner untereinander, u.a. auch im Fall des Scheiterns des Projekts, und sollte aus diesem Grund unbedingt erstellt werden. Abb. 7 führt wichtige Elemente eines Konsortialvertrags auf.

---

[107]   Vgl. http://www.eufis.de/BFS/Projektmanagement/zwischenfinanzierung.htm, 05.05.2006.
[108]   Heidenreich 2004: S. 40.

⇨ Geteiltes finanzielles Risiko des Projektkonsortiums, indem man eine Klausel in den Konsortialvertrag aufnimmt.

Abb. 7: Bestandteile eines Konsortialvertrags

Bestandteile des Konsortialvertrags

☑ Management und Gremien, Entscheidungsprozesse, Konfliktlösung

☑ Verantwortlichkeiten / Beiträge der Partner

☑ Zeitplan für technische Durchführung

☑ Budgetaufteilung

☑ Zugang zu und Verwertung von Vor-Know-how und Kenntnissen

☑ Haftungsfragen

☑ Vertraulichkeit

☑ Anwendbares Recht und Streitschlichtung

Quelle: Eigene Darstellung in Anlehnung an den Vortrag von Shalini Saxena (EU-Büro des BMBF) im Rahmen des Workshops: Vertrags- und Finanzmanagement, Berichtswesen, Audits und Erfahrungsberichte zu EU-Projekten im 6. Forschungsrahmenprogramm, Wirtschaftsförderung Region Stuttgart, am 13. Januar 2006.

Ebenfalls gilt es, schon vor dem Projekt grob abzuschätzen, wie sich die einzelnen Partner für die Zusammenarbeit und das Gelingen des Projektes einsetzen werden. Wenn sich während des Projektes herausstellt, dass ein Partner sich nicht entsprechend für das Projekt engagiert, kann man ihn noch nachträglich aus dem Konsortium nehmen. Allerdings ist dazu eine Vertragsänderung nötig.[110] Damit es nicht soweit kommt, ist es daher empfehlenswert, bereits vor Beginn der Zusammenarbeit die Erwartungen der Partner an das Projekt genau abzuklären. Diese sollten in Bezug auf das Projektergebnis nicht zu heterogen sein.

---

[109]   Unterredung mit Rolf Reiner, Projektleiter BelCAR der Wirtschaftsförderung Region Stuttgart GmbH, Stuttgart, am 13. April 2006.

[110]   Vortrag von Shalini Saxena (EU-Büro des BMBF) im Rahmen des Workshops: Vertrags- und Finanzmanagement, Berichtswesen, Audits und Erfahrungsberichte zu EU-Projekten im 6. Forschungsrahmenprogramm, Wirtschaftsförderung Region Stuttgart, am 13. Januar 2006.

Gleichermaßen wichtig ist es, vorab abzuklären und festzulegen, wie die Eigentumsrechte während und nach dem Projekt verteilt sind.

⇨ Aufnahme einer Klausel zur Eigentumsregelung in den Konsortialvertrag

Darüber hinaus muss von den Partnern innerhalb des Konsortiums das schriftliche Einverständnis eingeholt werden, dass der Antrag auch in ihrem Namen eingereicht wird. Diese Einveständniserklärung wird dem Projektantrag als Anlage beigefügt.[111]

Bei der Erstellung des Projektzeitplanes und der Einteilung in Projektphasen muss überdies berücksichtigt werden, dass die einzelnen Phasen mit den Zwischenberichten an die KOM zusammenfallen.

⇨ Projektphasen zeitlich nicht zu eng halten, da sonst zu häufige aufwendige Berichte anfallen.

Beim Budget ist zu beachten, dass die KOM die Fördersumme nicht auf einmal zum Projektbeginn zahlt, sondern in Tranchen: einen Teil nach Projektbeginn und dann in weiteren Tranchen bei Vorlage der jeweiligen Zwischenberichte. Darüber hinaus müssen zeitliche Verzögerungen von vornherein miteingerechnet werden, da diese bei nicht genug finanziellem Rückhalt das Scheitern des Projektes bedeuten können. Generell gilt das Kofinanzierungsprinzip, d.h. es werden nicht sämtliche Kosten für ein Projekt von der KOM übernommen. Für die restlichen Kosten müssen daher Eigenmittel der Projektträger oder nationale Finanzierungen eingeplant und nachgewiesen werden.[112]

Genauso wichtig ist, dass zwischen förderfähigen und nicht erstattungsfähigen Kosten unterschieden wird. Als förderfähig gelten allgemein die Kosten, die zur Ausführung des Projekts erforderlich sind und nach Unterzeichnung des Projektvertrages mit der KOM anfallen. Dies sind u.a. Personalkosten, Reise- und Verpflegungskosten für Projektteammeetings, Veranstaltungen (z.B. Raummiete, Verpflegung, Dolmetscher),

---

[111]   Unterredung mit Rolf Reiner, Projektleiter BelCAR der Wirtschaftsförderung Region Stuttgart GmbH, Stuttgart, am 13. April 2006.
[112]   Vgl. http://www.eufis.de/BFS/Projektmanagement/FinanzplanKofinanz.htm, 05.05.2006.

Unteraufträge, Ausrüstung (z.b. EDV), Veröffentlichungen oder Pauschalkosten für Büromaterial, Telefon oder Porto.[113] Nicht erstattungsfähig sind alle laufenden Kosten, die nicht im direkten Zusammenhang mit dem Projekt stehen, die nicht nachprüfbar sind, außerhalb der Projektlaufzeit (vor- oder nachher) liegen, unverhältnismäßig sind oder bereits über andere Quellen finanziert werden, Grundstückskäufe und Wechselkursverluste.[114]

⇨ Tipp: Rechnungen sollten getrennt MwSt enthalten, da nur Nettokosten von der KOM beglichen werden.

Zusätzliches Personal sollte erst bei schriftlicher Projektzusage der KOM eingestellt werden. Bei mündlichen Zusagen der KOM hat man noch keine Gewissheit, dass das Projekt tatsächlich gefördert wird.

⇨ Wer trotzdem das Projekt starten möchte oder muss, greift sicherheitshalber auf vorhandene personelle Ressourcen zurück.

Hinsichtlich der Sprache ist die Wahl eines professionellen Sprachstils angebracht. Durch den Gebrauch von Fachbegriffen der EU im Antrag wird signalisiert, dass man sich in dem Bereich, für den man sich bewirbt, auskennt und ausreichend kompetent ist.

Für das Projekt wird i.d.R. ein künstlicher Projektname ausgewählt, unter dem das Projekt sowohl intern als auch nach außen hin – gegenüber der KOM, auf der Internetseite, etc. – kommuniziert wird. Der Projektname kann aus Initialen des Projektthemas und des Förderprogramms bestehen, z.B. „WomenEn2FP6" für das Projekt „Enterprising Women in European Research" des Steinbeis-Europa-Zentrums zur Förderung von Unternehmernnen in Europa im Rahmen des 6. FRPs.

⇨ Wahl eines aussagekräftigen Akronyms.[115]

---

113 Heidenreich 2004: S. 44.
114 Ebd.
115 Vgl. Präsentation „Von der Idee zum erfolgreichen EU-Projekt" von Klaus Grepmeier, zum Informationstag „Antragsvorbereitung für EU-Förderprogramme" am 19.09.2005 bei der IHK Nürnberg, S. 20, http://www.zreu.de/Unternehmen/News_05_09_20.html, 10.05.2006.

Insgesamt sollte der Antrag allein schon deshalb sorgfältig durchdacht ausgearbeitet sein, da er im Fall der Bewilligung des Projektes Vertragsbestandteil wird. Untenstehender Leitfaden in Abb. 8 dient als Orientierung bei der Antragstellung und Projektplanung zu Beginn eines Projektes.

Abb. 8: Leitfaden für die Antragstellung und Projektplanung

Teilnahmefähigkeit	Wer ist zuschussberechtigt? (Universitäten, Unternehmen, etc.?)
	Welche Länder sind neben den EU-Mitgliedsstaaten teilnahmeberechtigt?
Auswahl der Partner	Aus welchen Ländern dürfen die Projektpartner gemäß der Ausschreibung kommen?
	Ist bei den Partnern bereits EU-Projekterfahrung vorhanden?
	Bringen die Partner geeignete Kompetenzen für das Projekt mit?
	Sind die Projektpartner vertrauenswürdig und zahlungsfähig?
	Welche Erwartungen haben die Partner an das Projekt?
	Ist das Engagement der Partner ausreichend?
	Wie sind die Eigentumsrechte während und nach dem Projekt verteilt?
Konsortium	Ist die Mindestpartnerzahl erfüllt?
	Ist das Konsortium national ausgewogen?
	Ist einer der Partner dominant?
	Wird ein Konsortialvertrag unter den Projektteilnehmern abgeschlossen?
Zeit- und Projektmanagement	Wer ist Projektkoordinator?
	Wie sollen die Aufgaben verteilt werden?
	Welche personellen und finanziellen Ressourcen sind für einzelne Aufgaben erforderlich?
	Wie werden die Projektphasen eingeteilt?
	Wer muss welche Aufgaben bis wann erledigt haben?
	Ist genügend Zeit für die Endphase des Projekts eingeplant?

Budget	Welche Kosten sind im Rahmen des Projekts erstattungsfähig?
	Wie hoch ist der Kofinanzierungsanteil der Kommission für die einzelnen Aktivitäten?
	Sind die eigenen finanziellen Ressourcen ausreichend, um die Projektkosten vorzufinanzieren?
Personal	Reicht das verfügbare Personal aus, um das Projekt durchzuführen?
	Ist die Einstellung zusätzlichen Personals erforderlich für die Projektkoordination oder -administration?
Sprache des Antrags	Sind die Formulierungen präzise und die Sprache professionell und klar?
	Enthält der Antrag eine Kurzfassung in englischer Sprache, wenn er nicht auf Englisch verfaßt ist?

Quelle: Eigene Zusammenstellung nach Heidenreich 2004: S. 43 ff.

Des weiteren sind bestimmte formale und inhaltliche Kriterien zu beachten, damit die Antragstellung erfolgreich ist. Bereits im *call for proposals* werden detaillierte Kriterien genannt, an denen man sich daher genau orientieren muss. Es ist hier zu beachten, dass es oft durch Übersetzungen des *calls* vom englischen oder französischen Originaltext ins Deutsche zu leichten Veränderungen kommt, was dann zu falschen Schwerpunktsetzungen bei der Antragstellung führen kann.

⇨ Es ist daher nützlich, den Ausschreibungstext auch in der Originalsprache durchzuarbeiten.[116]

Daneben empfiehlt es sich, sich über die Gewichtung der Kriterien über den Leitfaden für Evaluatoren (*guidance notes for evaluators*) zu informieren.[117]

Zum Überprüfen der formalen Kriterien bei der Einreichung von Projektvorschlägen dient nachfolgende Checkliste (Abb. 9).

---

[116]   Unterredung mit Rolf Reiner, Projektleiter BelCAR der Wirtschaftsförderung Region Stutt-, gart GmbH, Stuttgart, am 13. April 2006.
[117]   Ebd.

91

Abb. 9: Checkliste für formale Kriterien bei der Einreichung von Projektvorschlägen

	ja	nein	To do
Wird die Einreichungsfrist (inkl. Versand) eingehalten?	☐	☐	☐
Ist die Einreichungsadresse auf allen Dokumenten identisch und korrekt?	☐	☐	☐
Ist die optische Gestaltung des Antrags übersichtlich und angemessen? Gibt es Grafiken und Zusammenfassungen?	☐	☐	☐
Wurden die aktuellen Antragsformulare und standardisierte Formulare und Dokumente verwendet?	☐	☐	☐
Enthält der Antrag Fachbegriffe und Formulierungen, die direkt auf das aus-geschriebene Programm eingehen?	☐	☐	☐
Wurde der Antrag vollständig ausgefüllt, und wurden alle Fragen beantwortet?	☐	☐	☐
Sind alle notwendigen Unterschriften vorhanden?	☐	☐	☐
Enthält der Antrag die nötigen Satzungen, die Finanzplanung und Nachweise über die Rechtsfähigkeit und Unternehmensform (evtl. Bürgschaft), die finan-zielle Absicherung des Projektes (z.B. letzter Jahresabschluß) und die Qualifi-zierung des Projektteams?	☐	☐	☐
Wurden alle erforderlichen Dokumente eingereicht?	☐	☐	☐
Wurden evtl. Berichtigungen der Ausschreibung ausreichend berücksichtigt?	☐	☐	☐

Quelle: Eigene Zusammenstellung nach Heidenreich 2004: S. 45.

Die Antragsformulare bestehen meistens aus separaten Teilen für den Inhalt und das Budget. Da die jeweiligen Teile je nachdem von unterschiedlichen Projektpartnern ausgefüllt werden, kann es passieren, dass diese nicht zueinander passen.

⇨ Vor der Übermittlung der Formulare an die KOM die Dokumente auf Übereinstimmung prüfen.

Jede europäische Förderung setzt voraus, dass alle Ziele des jeweiligen Förderprogramms und der EU-Politik sowie allgemeine EU-Prioritäten wie Umweltaspekte, der Grundsatz der Nachhaltigkeit, der Grundsatz der Gleichstellung und

Aspekte der EU-Wettbewerbsregeln und des öffentlichen Vergaberechts der EU berücksichtigt werden. Zusätzlich wird bei allen von der EU geförderten Projekten erwartet, dass das Projekt einen sogenannten „Europäischen Mehrwert", d.h. einen Zusatznutzen bringt, der auf rein nationaler Ebene nicht erreicht werden kann. Die EU wird beispielsweise ein Projekt im Bereich Forschung nur bei entsprechender Projektgröße oder finanziellen Synergieeffekten unterstützen, oder wenn nationale Forschungsanstrengungen sich ergänzen und wenn sie der Vertiefung der europäischen Integration dienen.[118] Aus diesem Grund fordert die EU, dass ein von ihr gefördertes Projekt möglichst auf weiter Ebene – zumindest was die Projektergebnisse betrifft – veröffentlicht wird.[119]Zudem setzen viele Programme voraus, das die geförderten Projekte innovative Elemente enthalten.[120] Generell hat ein innovatives Projekt bessere Chancen, von der KOM den Zuschlag für finanzielle Unterstützung zu erhalten.

Hinsichtlich des Projektbeginns muss man in der Budgetplanung das Rückwirkungsverbot beachten, denn Förderungen dürfen nicht rückwirkend für eine bereits durchgeführte Maßnahme gewährt werden. Deshalb darf das Projekt erst in der Planungsphase sein und die Projektkosten werden erst ab dem in der schriftlichen Zusage der KOM zur Projektförderung genannten Termin berücksichtigt. Folglich werden Projektkosten, die vor dem offiziellen Projektbeginn entstehen, nicht von der KOM erstattet. Desweiteren muss man bei Projektverzögerungen, die u.a. durch eine verspätete schriftliche Zusage der KOM bedingt sind, berücksichtigen, dass der Vertrag mit der KOM entsprechend angepasst wird. Die KOM achtet zudem darauf, dass der Antragsteller keine Doppelfinanzierung in Anspruch nimmt und Fördermittel kummuliert.[121]

Die nachfolgende Checkliste (Abb. 10) soll dabei helfen, einen Projektantrag auf die inhaltlichen Kriterien hin zu überprüfen.

---

[118]   Weidenfeld 2004: S. 290.
[119]   Unterredung mit Rolf Reiner, Projektleiter BelCAR der Wirtschaftsförderung Region Stuttgart GmbH, Stuttgart, am 13. April 2006.
[120]   Ebd.
[121]   Krahe 2003: S. 25.

Abb. 10: Checkliste für inhaltl. Kriterien bei der Einreichung von Projektvorschlägen

	ja	nein	To do
Wurden die Ziele des Förderprogrammes und die politischen Ziele der EU ausreichend berücksichtigt?	☐	☐	☐
Sind Projektziel und dessen Relevanz für die Programmziele deutlich herausgearbeitet?	☐	☐	☐
Ist der „Europäische Mehrwert" erkennbar?	☐	☐	☐
Wann beginnt das Projekt (Rückwirkungsverbot)?	☐	☐	☐
Ist der Finanzplan ausgeglichen? Stimmen Inhalt und Budget überein?	☐	☐	☐
Wurde das Kumulierungsverbot beachtet?	☐	☐	☐
Ist das Produkt, Verfahren oder die Dienstleistung innovativ und neu sowie qualitativ auf hohem Niveau?	☐	☐	☐
Sind die einzelnen Projektteilnehmer und das Projektteam kompetent und erfahren auf dem Fachgebiet?	☐	☐	☐
Ist das Projekt effizient?[122]	☐	☐	☐
Ist das Projekt nachhaltig? Wirkt es auch nach der Finanzierungsperiode durch die EU weiter?	☐	☐	☐

Quelle: Eigene Zusammenstellung u.a. nach Heidenreich 2004: S. 42ff.

Bei offenen Fragen, die nicht im Antragsleitfaden beantwortet werden, kann man sich vor der Antragstellung an den zuständigen Ansprechpartner bei der KOM wenden.[123]

⇨ Tipp: *pre-posal-check* (vgl. Abb. 11): In vielen Fällen gibt es die Möglichkeit, dem in der Ausschreibung genannten Ansprechpartner im Vorfeld eine Antragsskizze zum Überprüfen zukommen zu lassen mit anschließendem Feedback.[124] Die Entwurfsversion sollte einen groben Budgetrahmen, den Projektnamen, eine

---

[122]   Ebd.
[123]   Heidenreich 2004: S. 45.
[124]   Ebd.

Liste mit den Konsortialpartnern und eine klare Projektstrategie mit den erhofften Ergebnissen umfassen.[125]

⇨ Tipps zur Antragstellung für das 6. FPR findet man im Internet unter:

http://www.rp6.de/durchfuehrung/durchfuehrung/antragstellung/tipsantragstellung

Eine Übersicht über die Abläufe vom *call for proposals* bis zum Vertrag bietet Abb. 11.

Abb. 11: Vom Projektantrag zum Vertrag

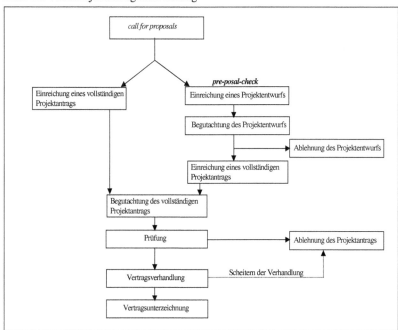

---

[125]   Unterredung mit Rolf Reiner, Projektleiter BelCAR der Wirtschaftsförderung Region Stuttgart GmbH, Stuttgart, am 13. April 2006.

95

6.3 Praktische Tipps für die Projektdurchführung bei *calls for proposals*

Das Projektteam wählt zur Abwicklung des Projektes entweder aus seiner Mitte oder von extern einen Projektkoordinator, der zugleich Hauptansprechpartner der KOM ist. Dieser steht in direktem Kontakt zur KOM, erhält und verwaltet die Zahlungen, übermittelt die Berichte, informiert über die Verteilung der Mittel, etc. Gleichzeitig hat er koordinierende Aufgaben innerhalb des Projektteams, informatiert über den Stand des Projektes und die Zusammenarbeit mit der KOM, etc.

⇨ Projektkoordinator sollte Managementerfahrung mitbringen und über interkulturelle Kompetenz verfügen.

Kenntnisse in folgenden Bereichen sind für die Koordination von EU-Projekten hilfreich:

- Wirtschaftsrecht (Vertragsrecht; Haftungs- und Schlichtungsfragen);
- Internationale Verhandlungsführung;
- Wissensmanagement;
- Businessplan;
- Finanzmanagement.[126]

Nach der Antragsbewilligung durch die KOM finden die Vertragsverhandlungen statt (vgl. Abb 11). Das Projektbudget wird eventuell noch während der Vertragsverhandlungen gekürzt und auch inhaltlich kann die KOM noch Anpassungen verlangen.

⇨ Experte sollte mit bei Verhandlungen dabei sein. Dies ist möglich, wenn man den zuständigen Projectofficer rechtzeitig davon benachrichtigt.

Während der Projektdurchführung sollte der Projektkoordinator bei Änderungen, z.B. zeitlicher oder finanzieller Art, den Projectofficer bei der KOM davon informieren und eine Vertragsanpassung einleiten. Es kann manchmal etwas länger dauern, bis man Antworten vom betreuenden Projectofficer erhält. Wenn die Korrespondenz mit

---

[126] Vgl. Präsentation „Von der Idee zum erfolgreichen EU-Projekt" von Klaus Grepmeier, zum Informationstag „Antragsvorbereitung für EU-Förderprogramme" am 19.09.2005 bei der IHK Nürnberg, S. 19, http://www.zreu.de/Unternehmen/News_05_09_20.html, 10.05.2006.

ihm auf Dauer schleppend ist, Desinteresse oder Ähnliches erkennbar wird, kann es helfen, sich an dessen Vorgesetzte zu wenden.

⇨ Regelmäßige Treffen mit dem betreuenden Projectofficer sind nützlich, um den Kontakt mit ihnen zu pflegen und dienen dem gegenseitigen Austausch. Auf diese Weise erfährt man zusätzlich mehr über den Charakter und die Persönlichkeit des Projectofficers. Auch die Nationalität des Projectofficers spielt eine Rolle bei der Kommunikation.

⇨ Die periodischen Besuche in Brüssel sollte der Projektkoordinator schon von vornherein in das Budget einplanen.

Bei der Berichterstattung sollte darauf geachtet werden, dass die Berichte möglichst eng am Vertrag orientiert verfasst sind, da es sonst z.b. bei Zusatzaktivitäten zu Missverständnissen oder Nachfragen seitens der KOM kommen kann.[127]

Attachments sind bei elektronischem Versand der Zwischenberichte im Umfang begrenzt.[128] Es kann daher sein, dass ein umfangreicher Bericht in mehrere Einzelmails aufgesplittet zum Projectofficer verschickt werden muss.

⇨ Falls für das Projekt Zugang zum EU-Intranet für die Kommunikation mit der KOM besteht, sollte dieses genutzt werden, da es für die Übermittlung der Berichte komfortabler und einfacher handhabbar ist.[129]

Die Aufgaben und das Budget müssen vom Projektkoordinator klar und eindeutig verteilt werden.[130] Wenn während des Projektes Aufgaben bis zu einem bestimmten Termin fertiggestellt werden müssen, stellt der Projektkoordinator dies am besten

---

[127] Vgl. Erfahrungsbericht von Charlotte Schlicke, Projektkoordinatorin beim Steinbeis-Europa-Zentrum, im Rahmen des Workshops: Vertrags- und Finanzmanagement, Berichtswesen, Audits und Erfahrungsberichte zu EU-Projekten im 6. Forschungsrahmenprogramm, Wirtschaftsförderung Region Stuttgart, am 13. Januar 2006.

[128] Ebd.

[129] Ebd.

[130] Vgl. Erfahrungsbericht von Valerie Bahr, Projektkoordinatorin beim Steinbeis-Europa-Zentrum, im Rahmen des Workshops: Vertrags- und Finanzmanagement, Berichtswesen,

sicher, indem er eindeutig festlegt, bis wann die Aufgabenpakete von wem geliefert werden müssen. Bei der Festlegung der Termine müssen zudem nationale Ferienzeiten berücksichtigt werden.[131]

⇨ Am besten gleich zu Projektanfang die Partner im Ausfüllen von Formularen u.a. für die Zwischenberichte schulen und zur Einhaltung von Deadlines und zu Pünktlichkeit auffordern.

⇨ Verwendung eines klaren und einfachen Projektmonitoring und -reporting-Systems.[132]

⇨ Im „Projektintranet" kann der Projektkoordinator den Eingang der Dokumente der Projektpartner mit Namen und Datum anzeigen, so dass zeitnah für alle Projektteilnehmer sichtbar wird, wer seine Aufgaben bereits erledigt hat.[133] Auf diese Weise ist ein Soll-/Ist-Vergleich in Bezug auf den Zeitplan möglich.

Eine genaue Buchführung ist wichtig, da die Projektausgaben nach Abschluß von der KOM oder dem Europäischen Rechnungshof überprüft werden können.

⇨ Originalbelege müssen mindestens bis zu fünf Jahre nach Projektende und der letzten Zahlung der KOM aufgehoben werden.[134]

Gelegentlich gibt es Probleme, von den Projektpartnern zeitnahe Antworten zu bekommen. Manchmal erhält der Projektkoordinator schneller Informationen der Projektpartner, wenn er sie telefonisch kontaktiert, als wenn er E-Mails schreibt.[135]

Audits und Erfahrungsberichte zu EU-Projekten im 6. Forschungsrahmenprogramm, Wirtschaftsförderung Region Stuttgart, am 13. Januar 2006.

[131] Vgl. Präsentation „Von der Idee zum erfolgreichen EU-Projekt" von Klaus Grepmeier, zum Informationstag „Antragsvorbereitung für EU-Förderprogramme" am 19.09.2005 bei der IHK Nürnberg, S. 18, http://www.zreu.de/Unternehmen/News_05_09_20.html, 10.05.2006.

[132] Ebd.: S. 17.

[133] Vgl. Erfahrungsbericht von Elisabeth Frank, Projektkoordinatorin bei der Attempto Service GmbH, im Rahmen des Workshops: Vertrags- und Finanzmanagement, Berichtswesen, Audits und Erfahrungsberichte zu EU-Projekten im 6. Forschungsrahmenprogramm, Wirtschaftsförderung Region Stuttgart, am 13. Januar 2006.

[134] Vgl. http://www.eufis.de/BFS/Projektmanagement/Projektabschluss.htm, 05.05.2006.

Für die Projektendphase sollte für eine letzte Durchsicht und Korrektur, das Drucken, evtl. Binden, Vervielfältigen oder Brennen auf CD sowie Versenden genügend Zeit eingeplant werden, da Projektteilnehmer evtl. Dokumente zu spät oder unvollständig liefern.[136] Der Endbericht muss komplett und zeitig bei der KOM eintreffen, damit die letzte Zahlung der KOM für das Projekt nicht unnötig verzögert wird. Abb. 12 zeigt, welche Elemente im Endbericht enthalten sein müssen.

Abb. 12: Bestandteile des Endberichts

Bestandteile des Endberichts

☑ Projektergebnisse

☑ Gesamteinschätzung der Projektergebnisse

☑ detaillierte Informationen über den Projektverlauf

☑ Kurzzusammenfassung in Englisch oder Französisch

Quelle: Eigene Darstellung in Anlehnung an http://www.eufis.de/BFS/Projektmanagement/ Projektabschluss.htm, 05.05.2006.

Wenn das Projektteam beabsichtigt, das Projekt zu verlängern oder ein Nachfolgeprojekt zu entwickeln, so kann in einer weiteren Ausschreibungsrunde entweder ein neuer Antrag oder ein Fortsetzungsantrag bei der KOM eingereicht werden.[137]

⇨ Frühzeitige Klärung vor Projektabschluss mit dem zuständigen Projectofficer

---

[135] Vgl. Erfahrungsbericht von Charlotte Schlicke, im Rahmen des Workshops: Vertrags- und Finanzmanagement, Berichtswesen, Audits und Erfahrungsberichte zu EU-Projekten im 6. Forschungsrahmenprogramm, Wirtschaftsförderung Region Stuttgart, am 13. Januar 2006.

[136] Vgl. Erfahrungsbericht von Elisabeth Frank im Rahmen des Workshops: Vertrags- und Finanzmanagement, Berichtswesen, Audits und Erfahrungsberichte zu EU-Projekten im 6. Forschungsrahmenprogramm, Wirtschaftsförderung Region Stuttgart, am 13. Januar 2006.

[137] Vgl. http://www.eufis.de/BFS/Projektmanagement/Projektverlaengerung.htm, 05.05.2006.

6.4 Praktische Tipps für die Bewerbung auf *calls for tenders*[138]

Für die Teilnahme an Ausschreibungen ist es wichtig, sich gründlich über das Zielland zu informieren. Ebenso sollte man die Landessprache beherrschen. Kenntnisse über die lokalen Verwaltungstrukturen und das jeweilige Rechtssystem sowie der Kontakt zu den Vergabestellen erleichtern die Akquise von Projekten. Die meisten Ausschreibungen richten sich an Konsortien, an denen Partner aus den Zielländern beteiligt sind. Teilweise dürfen sogar nur Unternehmen oder Organisationen aus dem Zielland teilnehmen.

Unternehmen, die noch keine Erfahrung mit Drittlandsprogrammen haben, sollten sich um Kooperationen mit erfahrenen Partnern bemühen statt eigenhändig ein Projekt anzugehen. Besser ist es in diesem Fall auch, zunächst mit eher kleinvolumigen Projekten zu beginnen. Gerade für KMU bietet es sich an, zunächst als Partner durch einen Unterauftrag in ein Projekt einzusteigen.

⇨ Es empfiehlt sich daher die Kontaktaufnahme mit Unternehmen, die einen Zuschlag der KOM erhalten haben. Informationen darüber gibt es in der EuropeAid-Datenbank.

Beim Finanziellen Rahmen ist zu beachten, dass die Aktivitäten im Rahmen des Auftrags vorfinanziert werden müssen. Deshalb sollte der Auftrag finanziell abgesichert sein.

Die Projektverwaltung im Zielland oder über das Heimatbüro ist zeitaufwendig und erfordert daher genügend personelle Ressourcen u.a. für die Angebotserstellung, Beschaffung, Rechnungsstellungen und das Berichtswesen.

Die für eine Auftragserteilung entscheidenden Kriterien werden in der Ausschreibungsbekanntmachung genau bekannt gegeben. Generell sind bei der Auswertung der Angebote maßgebend:
- entweder der niedrigste Preis und die Erfüllung der technischen Anforderungen,
- oder das „wirtschaftlich günstigste Angebot"[139].

---

[138] Heidenreich 2004: S. 40 ff.

Falls keine Kriterien genannt sind, ist allein der niedrigste Preis ausschlaggebend.[140]

Für die Erstellung einer Bewerberliste im Rahmen des Vorauswahlverfahrens einer international beschränkten Ausschreibung (vgl. S. 77) sind üblicherweise folgende Kriterien entscheidend:

- Erfahrung und Leistung bei vorangegangenen Aufträgen;
- Leistungsfähigkeit im Hinblick auf Arbeitskräfte, Ausrüstung sowie Bauausrüstung oder Produktionsanlagen des Bewerbers;
- Finanzlage.[141]

Nachfolgender Leitfaden in Abb. 13 dient als Orientierung bei der Angebotserstellung auf eine Ausschreibung.

---

[139] Vgl. Europäische Investitionsbank (Hrsg.): Leitfaden für die Auftragsvergabe, Luxemburg 2004, S. 16, www.eib.org/Attachments/thematic/procurement_de.pdf, 25.04.2006.
[140] Ebd.
[141] Ebd.: S. 14.

Abb. 13: Leitfaden für die Angebotserstellung auf eine Ausschreibung

Teilnahmefähigkeit	Wer ist teilnahmeberechtigt?
	Welche Länder sind teilnahmeberechtigt?
Partner	Aus welchen Ländern dürfen die Projektpartner gemäß der Ausschreibung kommen?
	Ist die Beteiligung von Partnern aus den Zielländern vorgeschrieben?
	Ist bei den Partnern Erfahrung im Vergabegeschäft der Drittlandsprogramme vorhanden?
	Bringen die Partner geeignete Kompetenzen für das Projekt mit?
	Sind die Projektpartner vertrauenswürdig und zahlungsfähig?
	Welche Erwartungen haben die Partner an das Projekt?
	Ist das Engagement der Partner ausreichend?
	Wie sind die Eigentumsrechte während und nach dem Projekt verteilt?
Zeit- und Projektmanagement	Wer ist Projektkoordinator?
	Wie sollen die Aufgaben verteilt werden?
	Welche personellen und finanziellen Ressourcen sind für einzelne Aufgaben erforderlich?
	Wie werden die Projektphasen eingeteilt?
	Wer muss welche Aufgaben bis wann erledigt haben?
Budget	Ist die Vorfinanzierung der Auftragskosten gesichert?
Personal	Reicht das verfügbare Personal aus, um das Projekt durchzuführen?
	Ist die Einstellung zusätzlichen Personals erforderlich für die Projektkoordination oder -administration?
Sprache	Sind ausreichende Fremdsprachkenntnisse vorhanden?
	Sind die Formulierungen des Angebots präzise und die Sprache professionell und klar?

Quelle: Eigene Darstellung in Anlehnung an Heidenreich 2004: S. 40 ff.

6.5 Praktische Tipps für die Antragstellung bei nationalen Behörden

Bei der Verwaltung der nationalen Programme im Rahmen der Strukturfonds sind für die Endauswahl der Projekte in Deutschland der Bund, die Bundesländer oder Landkreise sowie nationale Koordinierungsstellen zuständig. Übrigens ist es bei der Beantragung von Strukturfondsgeldern nicht entscheidend, ob die Suche nach Projektpartnern bereits abgeschlossen ist. Denn hier „erfolgt die Partnersuche erst nach der Bewilligung der EU-Mittel und wird dann weitgehend von den nationalen Koordinierungsstellen durchgeführt"[142].

Um vor der Einreichung eines Projektantrages Unklarheiten und eventuelle Missverständnisse auszuräumen, ist es wichtig, mit den zwischengeschalteten Einrichtungen und zuständigen Personen Kontakt aufzunehmen.

⇨ „Kontaktaufnahme vor der Projekteinreichung, um Projektskizze zu erläutern und ggf. Unterstützung bei der Antragstellung zu erhalten"[143]

Darüber hinaus ist es entscheidend, dafür offen zu sein, den eingereichten Antrag sowohl inhaltlich als auch umfangmäßig noch zu modifizieren, falls dies von der zuständigen Stelle empfohlen wird.

Genauso wie bei den *calls for proposals* müssen die Antragsunterlagen bestimmte formelle und inhaltliche Kriterien erfüllen. Diese sind in der Regel im Aufruf detailliert angegeben. Formelle Kriterien sind u.a. die Einhaltung der Abgabefrist und die Vollständigkeit der Unterlagen inklusive der nötigen Unterschriften.[144] Da diese allerdings je nach zuständiger Verwaltungsbehörde variieren, wird an dieser Stelle darauf nicht weiter eingegangen.

Die Auszahlung der Fördersumme wird wie bei den Projekten im Rahmen von *calls for proposals* nicht auf einmal gezahlt, sondern in Tranchen nach Vorlage von Zwischenberichten sowie des Endberichts. Jedoch genehmigen in diesem Fall die natio-

---

[142] http://www.eufis.de/BFS/Projektmanagement/Partnersuche.htm, 05.05.2006.
[143] http://www.eufis.de/BFS/Projektmanagement/AntragsbegleitungMS.htm, 17.12.2005.
[144] Ebd.

nalen bzw. regionalen zwischengeschaflteten Stellen die Berichte.[145] Auch hier kann es zu zeitlichen Verzögerungen kommen.

⇨ Vor- und Zwischenfinanzierungslösungen miteinplanen

---

[145] Vgl. http://www.eufis.de/BFS/Projektmanagement/ProjektdurchfuehrNatVerw.htm, 05.05.
2006.

7 Informationsstellen und Beratungsnetze

Gerade für KMU bieten zahlreiche Institutionen, die EIC- und IRC-Netzwerke, Verbände, etc. in Deutschland Beratungsdienstleistungen und Informationen zu EU-Förderprogrammen an.

7.1 Vertretung der Europäischen Kommission in Deutschland

Die Vertretung der Europäischen Kommission in Deutschland ist das Bindeglied zwischen der KOM und der deutschen Öffentlichkeit.

Angebot:
- Versand der Antragsunterlagen für öffentliche Ausschreibungen der KOM;
- Herausgabe der EU-Nachrichten: wöchentlicher Newsletter der regelmäßig jeweils Donnerstags erscheint. Hier findet man neben Informationen und Hintergründe zur aktuellen EU-Politik auch Ausschreibungen der KOM zu Projekten.

Die deutsche Vertretung der KOM befindet sich in Berlin und wird von zwei Regionalvertretungen in Bonn und München unterstützt.

⇨ Adressen im Anhang, S. 133

⇨ Internet: http://www.eu-kommission.de

⇨ Die EU-Nachrichten kann man sich wöchentlich als Link über Email unter folgender Internetadresse zusenden lassen:
http://www.eu-kommission.de/html/ presse/presse_05.asp

7.2 Beratung durch Finanzinstitute

Banken in Deutschland, die als Finanzintermediäre von der EIB oder durch den EIF beauftragt wurden, verfügen über umfangreiche Kenntnisse in Bezug auf die finanzielle Abwicklung von Investitionsprojekten im Rahmen von EU-Förderinitiativen.

⇨ Adressen im Anhang, S. 148-152

7.3 Euro Info Centres (EIC)

Ziel: Information, Beratung und Unterstützung von KMU in EU-Fragen und Information der KOM über KMU betreffende Angelegenheiten

Die EIC sind i.d.R. bei Kammern, kommunalen Wirtschaftsförderungseinrichtungen oder Technologiezentren angesiedelt.

Angebot:
- Information über Förderprogramme und Beratung bei der Antragstellung,
- KMU-Kooperationsbörsen,
- Mittler zwischen europäischen Institutionen und Unternehmen,
- Netzwerk mit mehr als 300 EIC in den EU-Mitgliedsstaaten, angrenzenden Ländern, Kandidatenländern und Mittelmeerländern.

⇨ Adressen deutscher EIC im Anhang, S. 134-138

⇨ Internet: http://europa.eu.int/comm/enterprise/networks/eic/eic.html

7.4 Innovation Relay Centres (IRC)

Ziel: Unterstützung des Austausches zwischen Unternehmen und Forschungseinrichtungen sowie Förderung technologischer Partnerschaften und Technologietransfers

Angebot:

- Erleichterung und Förderung des Transfers innovativer Technologien zwischen europäischen KMU;
- IRC helfen KMU bei der Suche nach geeigneten Technologieanbietern und -anwendern, bei der Verhandlung von Kooperationsabkommen und bei Schutzrechtfragen;
- Beratung und Informationsveranstaltungen;
- Kooperationsbörsen.

Die IRC bilden zusammen ein Netzwerk von 71 IRC in 33 Ländern.[146]

⇨ Örtliches / nächstes IRC im Internet unter: http://irc.cordis.lu/whoswho/home.cfm sowie im Anhang, S. 138-143

⇨ IRC in Deutschland: http://www.irc-deutschland.de

⇨ Online-Kooperationsbörse des IRC:
http://www.irc-deutschland.de/ nks/index.php?topgroupid=8

⇨ Weitere Informationen im Internet unter: http://www.irc.cordis.lu

7.5 Europäisches Netz der Gründungs- und Innovationszentren (EBN)

Ziel: Unterstützung von Unternehmensgründern und Firmenleitern von KMU

Das EBN ist auf innovationsorientierte KMU spezialisiert.

Angebot:
- Unterstützung bei Gründung und Entwicklung von KMU;
- Fachwissen zur Vermeidung von Mißerfolgen.

---

[146] Vgl. http://www.irc.cordis.lu/ircnetwork/network.cfm, 12.04.2006.

Auf lokaler Ebene agiert das EBN durch sogenannte Business Innovation Centres (BIC), von denen es insgesamt um die 160 gibt. Einige BIC bieten neben der Beratung Starthilfen, Grundkapital, einen Ausbildungsservice sowie weitere Dienstleistungen an.

⇨ Adressen der deutschen BIC im Anhang, S. 144

⇨ Internet: http://www.ebn.be

7.6 Business Angels Netze (BAN)

Ziel: Investition in junge Unternehmen und Beratung durch erfahrene Unternehmer

Business Angels Netze (BAN) sorgen dafür, dass Investoren und KMU zusammentreffen und eröffnen dadurch KMU eine zusätzliche Finanzierungsquelle außerhalb der Bankfinanzierung und der Risikokapitalbereitstellung.

Prinzip: Private erfahrene ehemalige Unternehmer investieren in junge aufstrebende Unternehmen, um deren Lücke im Eigenkapital zu füllen. Zusätzlich bieten die Investoren neben Finanzmitteln auch ihren Rat und ihre Erfahrung an.

BAN gibt es auf regionaler, nationaler und europäischer Ebene (EBAN). In Deutschland ist das heißt das nationale Netzwerk Business Angels Netzwerk Deutschland (BAND).

⇨ Internet: http://www.business-angels.de

⇨ Europäisches Business Angels Netzwerk: http://www.eban.org

7.7 Bundesministerium für Wirtschaft und Technologie

Angebot des Bundesministeriums für Wirtschaft und Technologie (BMWI):
- Beratung über EU-Förderprogramme für Existenzgründer und KMU;
- Angaben über Verfahrenswege zur Erlangung von Fördermitteln;
- Nennung von Anlaufstellen;
- Informationen zu Konditionen der Förderprogramme.

⇨ Fördertelefon mit kostenloser Beratung zu Förderprogrammen für Existenzgründer und kleine und mittlere Unternehmen:

Tel: 030/ 2014-8000
Fax: 030/ 2014-7033

⇨ Internet: http://www.bmwi.de

7.8 EU-Büro des Bundesministeriums für Bildung und Forschung

Das EU-Büro des Bundesministeriums für Bildung und Forschung (BMBF) für das Forschungsrahmenprogramm ist am Deutschen Zentrum für Luft- und Raumfahrt angesiedelt und ist die nationale Kontaktstelle des FRPs in Deutschland. Das EU-Büro fungiert als allgemeine Anlaufstelle für übergreifende Informationen und Fragen zum FRP der EU.

Angebot des EU-Büros:
- Beratung und Information über Fördermaßnahmen, Projektformen und Instrumente, Antrags- und Begutachtungsverfahren, Beteiligungsregeln und Vertragsmodalitäten;
- Ansprechpartner für die thematischen Prioritäten des FRP.

Außerdem unterstützt und koordiniert das EU-Büro das Netzwerk der Nationalen Kontaktstellen in Deutschland, die vom BMBF als Mittler zwischen Antragstellern, der EU-Kommission und dem Ministerium eingerichtet wurden. Die wichtigsten Aufgaben der Nationalen Kontaktstellen sind die Informationsverbreitung und die Beratung von Antragstellern und Projektdurchführenden. Daneben arbeiten sie den zuständigen Fachressorts der Ministerien zu und begleiten die deutschen Delegationen in den Programmausschüssen in Brüssel, in denen die Durchführung der EU-Programme diskutiert wird.

⇨ Weitere Informationen im Internet: http://www.eubuero.de

⇨ Ansprechpartner und Adresse des EU-Büros im Anhang, S. 145

7.9 CORDIS

CORDIS ist ein Informationsdienst für Forschung und Entwicklung (F&E) sowie Innovationsaktivitäten in Europa.

Ziele:
- Erleichterung der Mitwirkung an europäischer Forschung und europäischen Innovationsaktivitäten;
- verbesserte Nutzung von Forschungsergebnissen mit Schwerpunkt auf den für die Wettbewerbsfähigkeit Europas ausschlaggebenden Sektoren;
- Förderung der Verbreitung von Wissen, um die Innovationsleistung der Unternehmen sowie die gesellschaftliche Akzeptanz neuer Technologien zu verbessern.

CORDIS bietet Informationen:
- zur Forschungs- und Entwicklungsförderung der EU insbesondere zu den Forschungs- und Entwicklungs-Rahmenprogrammen;
- über eine Teilnahme am 6. / 7. FRP und zur Erschließung von Finanzierungsquellen;
- darüber, wie KMU Partner für eine Zusammenarbeit bei F&E-Projekten finden und Erfahrungen austauschen können.

⇨ Internet: http://cordis.europa.eu.int/de/home.html

7.10 Nützliche Internetadressen

Neben den bereits im Text genannten Internetadressen, können die Links in nachstehender Tabelle (Abb. 14) für den Einstieg in die EU-Förderprogramme nützlich sein.

Abb. 14: Nützliche Internetadressen

Internetadressen	Inhalt
http://europa.eu.int/comm/enterprise /funding/index.htm	Internetseite der Generaldirektion Unternehmen der KOM mit ihren Fördermöglichkeiten
http://europa.eu.int/comm/enterprise /entreprneurship/sme_envoy/index.h tm	Internetseite der Generaldirektion Unternehmen der KOM mit Maßnahmen für KMU
http://europa.eu.int/grants/index_de. htm	Überblick über EU-Programme, die nach Politikbereichen aufgelistet; nähere Angaben zu den einzelnen Programmen können durch Anklicken der jeweiligen Politikbereiche abgerufen werden.
http://www.eu-vertretung.de/de/ foerderprogramme/index.php	Übersicht über EU-Förderprogramme der Ständigen Vertretung Deutschlands bei der EU
http://www.europa.eu.int/comm/exte rnal_relations/delegations/intro/web. htm	Seite mit Links zu den weltweiten Delegationen der KOM; auf den Länderseiten können u.a. auch Ausschreibungen enthalten sein
http://ted.publications.eu.int/official	TED („tenders electronic daily") ist die Datenbank für öffentliche Ausschreibungen, die im Amtsblatt der EU veröffentlicht werden.
http://sme.cordis.lu/home/index.cfm	Webseite für technologieorientierte KMU
http://www.kowi.de	Einschlägige Hintergrundinformationen zur EU-Forschungsförderung der Koordinierunsstelle EG der Wissenschaftsorganisationen
http://www.irc-deutschland.de/ frame.htm	Internetangebot von Zenit, der nationalen Kontaktstelle für KMU: Datenbank mit Ansprechpartnern nach thematisch interessanten Bereichen für KMU, Recherche nach Bundesländern, Online-Kooperations-börse
http://europa.eu.int/youreurope/inde x_de.htm	Portal „Europa für Sie" enthält praktische Informationen über die Rechte und Möglichkeiten von Einzelpersonen und Unternehmen in der EU
http://www.dihk.de/eic/foerderprogr amme/index.html	Internetseite des DIHK zu EU-Förderprogrammen mit Links und Projektbeispielen sowie Tipps

http://www.bmwi.de/BMWi/Navigation/Mittelstand/foerderdatenbank.html	Förderdatenbank des BMWI bietet Recherche nach aktuellen EU-Förderprogrammen an mit weiterführenden Links
http://www.internationale-kooperation.de	Portal des BMBF mit internationalen Forschungsförderprogrammen mit Suche nach Ländern
http://www.bfai.de	Webangebot der Bundesagentur für Außenwirtschaft (bfai) enthält u.a. Informationen zu EU-Drittlandsprogrammen und eine Ausschreibungs-Datenbank
http://www.dwd-verlag.de	kostenloser Förderkalender des Fachverlages des Deutschen Wirtschaftsdienstes mit einer Übersicht zu aktuellen veröffentlichten EU-Förderprogrammen mit Links für deutsche Antragsteller
http://www.ihk-gmbh.de	Informationen zu Exportförderungsprogrammen für KMU der IHK-Gesellschaft zur Förderung der Außenwirtschaft und der Unternehmensführung, die u.a. internationale Kooperationsbörsen und Firmenpools (Unternehmen aus Osteuropa, Asien, Lateinamerika) anbietet
http://www.e-trade-center.com	Internet-Börse für Kooperationen der AHKs, IHKs und der bfai
http://www.handwerk-international.de	kostenlose Kooperationsdatenbank mit ca. 3000 Unternehmen innerhalb und außerhalb der EU (Ausfüllen eines Kooperationsprofils auf Englisch => passende Partnerprofile per E-Mail; Ansprechpartnerin: Sigrun Taschner-Tangemann: Tel.: 0711/1657-302)
http://www.b2fair.com	Kooperationsbörsen v.a. für KMU

8 Zusammenfassung

Mit dem Hintergrund der Lissabon-Strategie will die EU-Kommission (KOM) die Rahmenbedingungen besonders für KMU verbessern, um deren Wachstums- und Innovationspotential zu fördern. Der Zugang von KMU zu Förderprogrammen, öffentlichen Aufträgen, Startkapital und Bürgschaften sollen daher u.a. erleichtert werden. Gleichzeitig will die Kommission KMU verstärkt dazu ermutigen, sich an grenzüberschreitenden Netzwerken zu beteiligen.

Wie in Kapitel 4 gezeigt, gibt es eine breite Palette an EU-Förderprogrammen und -bereichen. Die Wahl des für ein Unternehmen richtigen Programmes richtet sich sowohl nach der Branche, in der es tätig ist, als auch nach dem individuellen Projekt oder Vorhaben. Für die Teilnahme an den Programmen, die sich speziell an KMU wenden, muss zudem die offizielle KMU-Definition der EU berücksichtigt werden.

Die KOM verwaltet und betreut die themenspezifischen und Drittlandsprogramme durch ihre Generaldirektionen oder Exekutivagenturen i.d.R. selbst, während die Strukturfondsmittel und Finanzierungshilfen meist durch nationale Intermediäre vergeben werden. Die zentral verwalteten Programme werden entweder über *calls for proposals* oder *calls for tenders* publik gemacht.

Die *calls for proposals* laufen nach einem genau im Aufruf festgelegten Verfahren ab und enthalten bereits detaillierte Informationen für den potentiellen Antragsteller, die dieser unbedingt beachten muss.

Liefer-, Bau- und Dienstleistungsaufträge werden durch *calls for tenders* ausgeschrieben und haben auch einen vorher von der KOM genau definierten Ablauf. Anders als bei den *calls for proposals*, die nur zu einem bestimmten Prozentsatz kofinanziert werden, kommt die KOM bei den *calls for tenders* für die gesamte Auftragssumme auf. Zu beachten ist allerdings, dass die *calls for tenders* erst ab einem gewissen Schwellenwert international und damit in der offiziellen TED-Datenbank der EU im Internet veröffentlicht werden. In den anderen Fällen werden die *calls* nur national bzw. lokal ausgeschrieben und abgewickelt. Der Vorteil für ortsansässige

KMU ist hier, dass sie in der Landessprache mit den zuständigen Stellen kommunizieren können.

Die Strukturfondsprogramme werden grundsätzlich national ausgeschrieben und verwaltet. Das Vergabeverfahren ähnelt dem der *calls for proposals*.

Finanzierungshilfen können jederzeit über die von der KOM beauftragten nationalen Finanzintermediäre, d.h. meist über die Hausbank, beantragt werden.

Bei allen EU-Förderprogrammen ist es wichtig, sich frühzeitig auf eine Teilnahme und auf die Antragstellung vorzubereiten. Informationen sollten rechtzeitig bei den geeigneten Stellen eingeholt werden. Nur bei ausreichend eingeplanter Vorlaufzeit ist es möglich, die eventuell nötigen Projektpartner zu finden, Netzwerke aufzubauen und die Finanzierung des Projektes abzusichern.

Fremdsprachenkenntnisse in Englisch und Französisch sind bei den zentral verwalteten Programmen nützlich. Bei den Drittlandsprogrammen und Strukturfonds können weitere Fremdsprachen erforderlich sein.

Vor der Einreichung eines vollständigen Projektantrages auf einen *call for proposals* oder einen nationalen *call* bei den Strukturfondsmitteln empfiehlt es sich, eine Antragsskizze einzureichen, um die Erfolgsaussichten des Antrags abschätzen zu lassen und gegebenenfalls noch Änderungen vorzunehmen.

Für die Zusammenarbeit mit verschiedenen Partnern ist ein Konsortialvertrag zu empfehlen, der die rechtlichen Fragen im Projektteam klärt.

Bei der Beantragung der Fördergelder müssen sowohl formale als auch inhaltliche Aspekte beachtet werden. Der Ratgeber nennt die wichtigsten Kriterien und bietet Checklisten, damit der Antrag nicht allein aus Missachtung dieser Kriterien wie z.B. des „Europäischen Mehrwerts" oder unvollständigen Unterlagen aus dem Bewerbungsverfahren ausscheidet.

Der Leitfaden unter Abschnitt 6.3 ist für die Antragstellung auf einen *call for proposals* nützlich, da alle wichtigen Punkte dazu in ihm aufgezeigt werden.

Zur Projektdurchführung sollte ein fachlich kompetenter Projektkoordinator gewählt werden, der als Bindeglied zwischen dem Projektteam und der KOM fungiert. Wichtig ist sein Verhältnis zu dem betreuenden Projectofficer bei der KOM. Der Projektkoordinator ist auch für die Zusammenstellung der Zwischenberichte und des Endberichts verantwortlich.

Für die Erstellung eines Angebots auf einen *call for tenders* ist es wesentlich, gut auf das Land vorbereitet zu sein, für das der *call for tenders* organisiert wird. Kenntnisse über das Zielland, frühzeitige Kontakte zu Kooperationspartnern und die finanzielle Absicherung gehören dazu. In der Ausschreibung werden die Evaluationskriterien bekannt gegeben, an die sich ein interessiertes Unternehmen bei der Antragstellung genau halten sollte. Bei den *call for tenders* ist der Preis zusätzlich ausschlaggebend. Der Leitfaden in Abschnitt 6.4 kann zur Angebotserstellung benutzt werden.

Genauso wie bei den *calls for proposals* sind bei den national verwalteten Programmen Vor- und Zwischenfinanzierungslösungen einzuplanen.

Auch wenn bei EU-Fördermitteln meist zuerst an direkte finanzielle Zuschüsse gedacht wird, können die nichtfinanziellen Unterstützungsmaßnahmen für KMU wie Beratungsdienstleistungen durch Intermediäre, Kooperationsbörsen oder Technologieplattformen hilfreich sein. Gerade, wenn ein KMU noch keine oder wenig Erfahrung in Bezug auf die Beantragung einer EU-Förderung hat, sollte es dieses Angebot nutzen.

Zahlreiche Informationsstellen wie Institutionen, Banken und Verbände sowie Netzwerke bieten in Deutschland für KMU einen meist kostenlosen Beratungs- und Informationsservice zu EU-Förderprogrammen an. Ein an einer EU-Förderung interessiertes KMU sollte sich daher rechtzeitig an die in diesem Ratgeber aufgeführten Stellen wenden. Neben der Hilfe bei der Antragstellung und Kooperationsbörsen reicht ihr Angebot bis hin zu Starthilfen und Grundkapital für Investitionen von KMU.

Zusätzlich hat die KOM im Exportbereich – insbesondere für die Kooperation mit Unternehmen in Lateinamerika und Asien – ein Netzwerksystem aufgebaut, dass europäischen KMU den Markteintritt in diesen Ländergruppen erleichtert und sie dabei begleitet. Auf diese Weise können neue Absatzmärkte im Ausland erschlossen werden.

Das Internet ist eine wichtige Quelle für an einer EU-Förderung interessierte Unternehmen aufgrund seiner Fülle an Informationen zu dieser Thematik und der Aktualität. Der Ratgeber enthält daher abschließend einige wichtige Links, u.a. zu Internetseiten, die die *calls* ausschreiben, Portalen mit Förder- und Kooperationsdatenbanken und weiterführenden Informationen, die den Einstieg für KMU in die Beteiligung an EU-Programmen erleichtern sollen.

KMU haben es bezüglich des hohen Verwaltungsaufwands und auch in finanzieller Hinsicht nicht leicht, sich an einem EU-Förderprojekt zu beteiligen. Andererseits bietet eine Teilnahme viele Vorteile. Für an EU-Projekten beteiligte Unternehmen entsteht ein gegenseitiger Erfahrungsaustausch, der nicht nur einen Know-how-Mehrwert bringt, sondern auch die Innovationsfähigkeit und damit die Wettbewerbsfähigkeit von KMU steigern kann. Gerade durch die Teilnahme an Projekten im Bereich Forschung (vgl. Abschnitt 4.1.1) können die eigenen Forschungs- und Entwicklungskapazitäten von KMU erheblich ausgebaut werden. EU-Projekte ermöglichen KMU oft einen privilegierten Zugang zu neuen Zukunftstechnologien.

Außerdem werden durch ein gemeinsames Projekt internationale Geschäftspartner gefunden sowie bereits bestehende Geschäftsbeziehungen gefestigt. Nebenbei wird die internationale Kooperations- und Kommunikationsfähigkeit der Personen, die in das Projekt eingebunden sind, aufgrund der transnationalen Zusammenarbeit verbessert.

Ein weiterer Vorteil für KMU ist, dass die Kosten und Risiken in einem EU-Projekt von allen Projektpartnern getragen werden und es diese nicht alleine tragen muss. Die Zuschüsse der KOM können dabei helfen, eigene Haushaltsengpässe auszugleichen.

Eine EU-Förderung kann auch für Marketingzwecke eingesetzt werden, u.a. durch ein entsprechendes Logo auf der Unternehmensinternetseite oder auf Unternehmensbroschüren. Schließlich bedeutet es für ein an EU-Förderprogrammen teilnehmendes KMU einen Prestigegewinn, der sich positiv auf seine Kontakte zu Geschäfts- und Finanzpartnern auswirkt.

EU-Fördermittel tragen dazu bei, die Wettbewerbsfähigkeit und das Wachstumspotential von KMU in einem durch Konsolidierung und Globalisierung geprägten Markt zu erhalten und zu stärken. Die Chancen einer Förderung lohnen daher auch den Aufwand einer Antragstellung.

Abkürzungsverzeichnis

AHK	Auslandshandelskammer
AKP	Afrika, Karibik und Pazifik
AiF	Arbeitsgemeinschaft industrieller Forschungsvereinigungen
BAN	Business Angels Netze
BAND	Business Angels Netzwerk Deutschland
bfai	Bundesagentur für Außenwirtschaft
BIC	Business Innovation Centres
BMBF	Bundesministerium für Bildung und Forschung
BMWI	Bundesministerium für Wirtschaft und Technologie
CA	Coordinated Actions
CARDS	Community Assistance for Reconstruction, Development and Stabilisation
CIP	Competitiveness and Innovation Framework Programme
DIHK	Deutschen Industrie- und Handelskammertag
EAGLF	Europäischer Ausrichtungs- und Garantiefonds für die Landwirtschaft
EAR	Europäische Agentur für Wiederaufbau
EBAN	Europäisches Business Angels Netzwerk
EBN	Europäisches Netz der Gründungs- und Innovationszentren
EFRE	Europäischen Fonds für regionale Entwicklung
EIB	Europäische Investitionsbank
EIC	Euro Info Centres
EIF	Europäischer Investitionsfonds
ENPI	European Neighbourhood and Partnership Instrument
EPSS	Electronic Proposals Submission System
ESA	Europäische Raumfahrtagentur
ESF	Europäischen Sozialfonds
ETP	Executive Training Program
EU	Europäische Union
EWR	Europäischer Wirtschaftsraum
F&E	Forschung und Entwicklung
FIAF	Finanzinstrument für die Ausrichtung der Fischerei
FRP	Forschungsrahmenprogramm

GAP	Gemeinsamen Agrarpolitik
GJU	Galileo Joint Undertaking
i2i	Innovation-2010-Initiative
IHK	Industrie- und Handelskammer
IKT	Informations Kommunikations Telekommunikation
IPA	Instrument for Pre-Accession Assistance
IP	Integrierte Projekte
IRC	Innovation Relay Centres
ISPA	Instrument for Structural Policies in Pre-Accession
IST	Information Society Technology
JTI	Joint Technologiy Initiatives
KfW	Kreditanstalt für Wiederaufbau
KMU	kleine und mittelständische Unternehmen
KOM	Europäische Kommission
MwSt	Mehrwertsteuer
NGO	Nichtregierungsorganisationen
NoE	Exzellenznetzwerke
PHARE	Poland and Hungary Assistance for Restructuring the Economy
SAPARD	Special Accession Programme for Agriculture and Rural Development
SSA	Specific Support Actions
STREPS	Specific Targeted Research Projects
TED	tenders electronic daily
TEN	Transeuropäische Netze
WI-RP	Rahmenprogramm für Wettbewerbsfähigkeit und Innovation

Abbildungsverzeichnis

Quellenverzeichnis

Literaturverzeichnis:

- Bundeszentrale für politische Bildung (Hrsg.): Europäische Union, Informationen zur politischen Bildung, Nr. 279/2005, Oberschleißheim 2005
- Dupondt, Jos: 250 QCM sur l'Europe et la politique européenne, Confédération syndicale européenne (Hrsg.), 10. Auflage, Brüssel 2006
- Eichner, Stefan: Wirtschaftsbezogene Evaluation von staatlichen und supranationalen Interventionen am Beispiel der forschungs-, technologie- und innovationsspezifischen Förderprogramme der Europäischen Union (Diss. Wuppertal), Europäische Hochschulschriften: Reihe 5, Volks- und Betriebswirtschaft, Band 2160, Frankfurt a.M. 1997
- Europäische Investitionsbank (Hrsg.): Leitfaden für die Auftragsvergabe, Luxemburg 2004, www.eib.org/Attachments/thematic/procurement_de.pdf, 25.04.2006
- Europäische Kommission (Hrsg.): Die Kohäsionspolitik im Dienste von Wachstum und Beschäftigung. Strategische Leitlinien der Gemeinschaft für den Zeitraum 2007-2013, Brüssel 05.07.2005, S. 9, http://europa.eu.int/comm/regional_policy/sources/docoffic/2007/osc/050706osc_de.pdf, 25.04.2006
- Europäische Kommission (Hrsg.): Financial perspectives 2007-2013, Brüssel 14.07.2004, http://europa.eu.int/eur-lex/lex/LexUriServ/site/en/com/2004/com200 4_0487en01.pdf, 26.04.2006
- Europäische Kommission (Hrsg.): Förderprogramme der europäischen Union für KMU. Überblick über die wichtigsten Finanzierungsmöglichkeiten für KMU, Brüssel 2005, http://europa.eu.int/comm/enterprise/entrepreneurship/sme_envoy/pdf/support_programmes_2005_de.pdf, 26.04.2006
- Europäische Kommission (Hrsg.): In Europas Mitgliedstaaten und Regionen investieren. Nach der Einigung des Europäischen Rates über die Finanzielle Vorausschau: Die Umsetzung der EU-Strukturpolitik 2007-2013, Brüssel Januar 2006, http://europa.eu.int/comm/regional_policy/sources/slides/2007/cohesion_policy 20 07_de.ppt, 25.04.2006
- Europäische Kommission (Hrsg.): Wachstum und Beschäftigung fördern: Kommission legt neue, umfassende Politik für kleine und mittlere Unternehmen vor,

Pressemitteilung Nr. IP/05/1404, Brüssel 10.11.2005, http://europa.eu.int/comm/ enterprise/entrepreneurship/index_de.htm, 22.04.2006

- Europäische Kommission – Vertretung in Deutschland (Hrsg.): Galileo-Zeit beginnt, in: EU-Nachrichten, Nr. 1, Berlin 2006, S. 7
- Europäische Kommission – Vertretung in Deutschland (Hrsg.): Mittelstand stärken. Neue Strategie für Europas KMU, in: EU-Nachrichten, Nr. 45, Berlin 2005, S. 8
- Europäische Kommission – Vertretung in Deutschland (Hrsg.): Superlative der Strukturpolitik, in: EU-Nachrichten, Nr. 5, Berlin 2006, S. 1
- Europäische Kommission – Vertretung in Deutschland (Hrsg.): Think Small First. KMU-Strategie vor dem Neubeginn, in: EU-Nachrichten, Nr. 41, Berlin 2005, S. 5
- Europäischer Investitionsfonds (Hrsg.): Promoting SME Finance, Luxemburg 2005, http://www.eif.org/Attachments/pub_corporate/eif_leaflet_en.pdf, 26.04. 2006
- Heidenreich, Anna Maria: EU-Förderprogramme und Finanzierungsinstrumente für Unternehmen. Grundsätze – Förderbereiche – Praktische Tipps, Deutscher Industrie- und Handelskammertag (Hrsg.), Meckenheim 2004
- Heidenreich, Anna Maria: EU-Förderprogramme von A-Z. Ratgeber für den Mittelstand, Deutscher Industrie- und Handelskammertag (Hrsg.), Bonn 2001
- IHK Düsseldorf (Hrsg.):Im Dickicht. Die IHK Düsseldorf bringt Licht in den Förderdschungel, in: IHK-Magazin, Nr.1, Düsseldorf 2006, S. 38-39
- Krahe, Alexander: Der kleine Ratgeber zur EU-Förderung, Deutscher Wirschaftsdienst (Hrsg.), Köln u.a. 2003
- Weidenfeld, Werner (Hrsg.): Die Europäische Union. Politisches System und Politikbereiche, Bundeszentrale für politische Bildung, Band 442, Bonn 2004
- Weidenfeld, Werner, Wessels, Wolfgang (Hrsg.): Europa von A bis Z, 9. Auflage, Berlin 2006

Internetquellen:

- http://cordis.europa.eu.int/de/home.html, 28.04.2006
- http://cordis.europa.eu.int/fp7/faq.htm, 9.1.2006
- http://cordis.europa.eu.int/innovation/de/policy/cip.htm, 28.04.2006
- http://elearningeuropa.info, 30.04.2006
- http://europa.eu.int/comm/agriculture/fin/index_de.htm, 30.04.2006
- http://europa.eu.int/comm/agriculture/rur/leaderplus/index_de.htm, 30.04.2006
- http://europa.eu.int/comm/agriculture/rur/leaderplus/whoswho/manauth_de_en.htm, 30.04.2006
- http://europa.eu.int/comm/culture/eac/index_en.html, 30.04.2006
- http://europa.eu.int/comm/dgs/education_culture/newprog/index_de.html, 30.04.2006
- http://europa.eu.int/comm/dgs/energy_transport/galileo/index_de.htm, 28.04.2006
- http://europa.eu.int/comm/education/programmes/leonardo/leonardo_de.html, 6.2.2006
- http://europa.eu.int/comm/education/programmes/leonardo/new/leonardo2_de.html, 30.04.2006
- http://europa.eu.int/comm/education/programmes/socrates/socrates_de.html, 30.04.2006
- http://europa.eu.int/comm/employment_social/equal/index_de.cfm, 30.04.2006
- http://europa.eu.int/comm/employment_social/equal/tools/contacts_en.cfm#deutschland, 30.04.2006
- http://europa.eu.int/comm/employment_social/esf2000/2007-2013_de.html, 25.04.2006
- http://europa.eu.int/comm/employment_social/esf2000/index_de.html, 30.04.2006
- http://europa.eu.int/comm/enlargement/candidate_de.htm, 8.2.2006
- http://europa.eu.int/comm/enlargement/cards/index_en.htm, 30.04.2006
- http://europa.eu.int/comm/enlargement/ipa_en.htm, 30.04.2006
- http://europa.eu.int/comm/enlargement/pas/ispa.htm, 30.04.2006
- http://europa.eu.int/comm/enlargement/pas/phare/index.htm, 30.04.2006
- http://europa.eu.int/comm/enlargement/pas/sapard.htm, 30.04.2006
- http://europa.eu.int/comm/environment/life/contact/env_natautho.pdf, 28.04.2006
- http://europa.eu.int/comm/environment/life/news/futureoflife.htm, 28.04.2006
- http://europa.eu.int/comm/enterprise/enterprise_policy/cip/index_en.htm, 28.04.2006
- http://europa.eu.int/comm/enterprise/entrepreneurship/sme_envoy/index.htm, 28.04.2006
- http://europa.eu.int/comm/enterprise/funding/index.htm, 28.04.2006
- http://europa.eu.int/comm/enterprise/networks/b2europe/networks.html, 11.04.2006

- http://europa.eu.int/comm/enterprise/networks/eic/eic.html, 28.04.2006
- http://europa.eu.int/comm/environment/life/news/futureoflife.htm, 25.01.2006
- http://europa.eu.int/comm/europeaid/index_de.htm, 01.05.2006
- http://europa.eu.int/comm/europeaid/projects/al-invest/coopecos_en.cfm, 11.04.2006
- http://europa.eu.int/comm/europeaid/projects/al-invest/eurocentres_en.cfm, 11.04.2006
- http://europa.eu.int/comm/europeaid/projects/al-invest/index_en.htm, 30.04.2006
- http://europa.eu.int/comm/europeaid/projects/asia-invest/download2002/2003-2007flyer.pdf, 18.04.2006
- http://europa.eu.int/comm/europeaid/projects/asia-invest/html2002/instruments.htm, 18.04.2006
- http://europa.eu.int/comm/europeaid/projects/asia-invest/html2002/main.htm, 30.04.2006
- http://europa.eu.int/comm/europeaid/projects/asia-invest/html2002/participationofcompanies.html, 18.04.2006
- http://europa.eu.int/comm/europeaid/projects/tacis/contacts_en.htm, 30.04.2006
- http://europa.eu.int/comm/europeaid/tender/practical_guide_2006/documents/new_prag_en_final.pdf, 01.05.2006
- http://europa.eu.int/comm/fisheries/doc_et_publ/liste_publi/facts/ifop03_de.pdf, 30.04.2006
- http://europa.eu.int/comm/regional_policy/country/gateway/allemagne_de.cfm?gw_ide=276&lg=de, 01.05.2006
- http://europa.eu.int/comm/regional_policy/country/overmap/d/d_de.htm, 08.04.2006
- http://europa.eu.int/comm/regional_policy/country/prordn/index_de.cfm, 30.04.2006
- http://europa.eu.int/comm/regional_policy/funds/prord/prord_de.htm, 30.04.2006
- http://europa.eu.int/comm/regional_policy/interreg3/abc/progweb_en.htm, 30.04.2006
- http://europa.eu.int/comm/regional_policy/interreg3/index_de.htm, 30.04.2006
- http://europa.eu.int/comm/regional_policy/manage/authority/authority_de.cfm, 01.05.2006
- http://www.europa.eu.int/comm/regional_policy/manage/authority/authority_de.cfm?pay=DE, 01.05.2006
- http://europa.eu.int/comm/regional_policy/projects/stories/index_de.cfm, 30.04.2006
- http://europa.eu.int/comm/regional_policy/sources/docoffic/official/reports/cohesion3/cohesion3_de.htm, 25.04.2006
- http://europa.eu.int/comm/regional_policy/sources/slides/2007/cohesion_policy2007_de.ppt, 25.04.2006

- http://europa.eu.int/comm/regional_policy/urban2/index_de.htm, 30.04.2006
- http://europa.eu.int/comm/regional_policy/urban2/towns_prog_de.htm, 30.04.2006
- http://europa.eu.int/comm/research/fp6/index_en.cfm?p=0, 28.04.2006
- http://europa.eu.int/comm/research/future/index_en.cfm, 28.04.2006
- http://europa.eu.int/comm/transport/marcopolo/index_en.htm, 28.04.2006
- http://europa.eu.int/grants/index_de.htm, 28.04.2006
- http://europa.eu.int/grants/introduction_de.htm, 20.04.2006
- http://europa.eu.int/information_society/activities/econtentplus/index_en.htm, 28.04.2006
- http://europa.eu.int/information_society/activities/econtentplus/programme/index_en.ht m, 28.04.2006
- http://europa.eu.int/information_society/activities/eten/library/about/intro/index_de.htm, 28.04.2006
- http://europa.eu.int/information_society/activities/eten/newsroom/programme/framewor k/index_en.htm, 28.04.2006
- http://europa.eu.int/information_society/programmes/eten/index_en.htm, 28.04.2006
- http://europa.eu.int/rapid/pressReleasesAction.do?reference=MEMO/04/182&format=H TML &aged=1&language=EN&guiLanguage=fr, 25.04.2006
- http://europa.eu.int/youreurope/index_de.htm, 28.04.2006
- http://fp6.cordis.lu/fp6/calls.cfm, 28.04.2006
- http://fp6.cordis.lu/fp6/home.cfm, 28.04.2006
- http://irc.cordis.lu/whoswho/home.cfm, 28.04.2006
- http://leonardo.cec.eu.int/psd/index.cfm?lang=2, 30.04.2006
- http://sme.cordis.lu/assistance/NCPs.cfm#GERMANY, 28.04.2006
- http://sme.cordis.lu/home/index.cfm, 28.04.2006
- http://sme.cordis.lu/site_help/glossary.cfm#S, 18.04.2006
- http://ted.publications.eu.int/official, 01.05.2006
- http://www.ahk.de, 04.05.2006
- http://www.aif.de, 04.05.2006
- http://www.b2fair.com, 28.04.2006
- http://www.bfai.de, 04.05.2006
- http://www.bfai.de/DE/Navigation/Datenbank-Recherche/Entwicklungsprojekte/EU-Pro jekte/andere-Foerderprogramme/andere_Foerderprogramme-node.html, 04.05.2006
- http://www.bibb.de/de/wlk8644.htm, 30.04.2006
- http://www.bmwi.de, 28.04.2006

- http://www.bmwi.de/BMWi/Navigation/Mittelstand/foerderdatenbank.html, 28.04.2006
- http://www.business-angels.de, 28.04.2006
- http://www.ccp-deutschland.de, 23.04.2006
- http://www.cordis.lu/fp6/stepbystep/home.html, 28.04.2006
- http://www.cordis.lu/fp6/inco.htm, 28.04.2006
- http://www.dihk.de/eic/foerderprogramme/index.html, 04.05.2006
- http://www.dwd-verlag.de, 28.04.2006
- http://www.e-trade-center.com, 04.05.2006
- http://www.ear.eu.int, 30.04.2006
- http://www.eban.org, 28.04.2006
- http://www.ebn.be, 28.04.2006
- http://www.eib.eu.int/Attachments/strategies/cycle_de.pdf, 30.04.2006
- http://www.eib.org, 30.04.2006
- http://www.eib.org/Attachments/lending/inter_de.pdf, 11.04.2006
- http://www.eib.org/i2i/en/index.html, 30.04.2006
- http://www.eib.org/news/news.asp?news=33, 30.04.2006
- http://www.eib.org/projects/dynamic.asp?cat=38, 18.04.2006
- http://www.eib.org/projects/loans/eligibility/, 11.04.2006
- http://www.eib.org/projects/loans/sectors/, 11.04.2006
- http://www.eib.org/site/index.asp?designation=i2i, 17.04.2006
- http://www.eic.de, 08.02.2006
- http://www.eif.org, 30.04.2006
- http://www.eif.org/faq/faq_general/#q6, 31.01.2006
- http://www.eif.org/portfolio/ecport, 04.05.2006
- http://www.equal-de.de, 30.04.2006
- http://www.equal-de.de/Equal/Navigation/entwicklungspartnerschaften.html, 08.04.2006
- http://www.equal-de.de/Equal/Navigation/Entwicklungspartnerschaften/ep-liste.html, 30.04.2006
- http://www.etp.org, 30.04.2006
- http://www.eu-kommission.de, 28.04.2006
- http://www.eu-kommission.de/html/presse/presse_05.asp, 28.04.2006
- http://www.eu-kommission.de/html/presse/pressemeldung.asp?meldung=6274, 25.04.2006
- http://www.eu-vertretung.de/de/ foerderprogramme/index.php, 04.05.2006
- http://www.eubuero.de, 28.04.2006

- http://www.eufis.de/BFS/Projektmanagement/AntragsbegleitungAllgHinweise.htm, 05.05.2006
- http://www.eufis.de/BFS/Projektmanagement/AntragsbegleitungMS.htm, 17.12.2005
- http://www.eufis.de/BFS/Projektmanagement/FinanzplanKofinanz.htm, 05.05.2006
- http://www.eufis.de/BFS/Projektmanagement/Partnersuche.htm, 05.05.2006
- http://www.eufis.de/BFS/Projektmanagement/Projektabschluss.htm, 05.05.2006
- http://www.eufis.de/BFS/Projektmanagement/ProjektdurchfuehrNatVerw.htm, 05.05.2006
- http://www.eufis.de/BFS/Projektmanagement/Projektphasen.htm, 22.04.2006
- http://www.eufis.de/BFS/Projektmanagement/Projektverlaengerung.htm, 05.05.2006
- http://www.eufis.de/BFS/Projektmanagement/zwischenfinanzierung.htm, 05.05.2006
- http://www.eujapan.com/europe/hrtp_eu.html, 03.05.2006
- http://www.eujapan.com/europe/vulcanus_europe.html, 03.05.2006
- http://www.eureka.be, 28.04.2006
- http://www.europa.eu.int/comm/avpolicy/media/forma_en.html, 28.04.2006
- http://www.europa.eu.int/comm/avpolicy/media/index_en.html, 28.04.2006
- http://www.europa.eu.int/comm/dgs_de.htm, 01.05.2006
- http://www.europa.eu.int/comm/education/programmes/elearning/programme_de.html, 30.04.2006
- http://www.europa.eu.int/comm/energy/intelligent/index_en.html, 28.04.2006
- http://www.europa.eu.int/comm/enterprise/enterprise_policy/sme_definition/index_de.htm, 28.04.2006
- http://www.europa.eu.int/comm/environment/newprg/index.htm, 28.04.2006
- http://www.europa.eu.int/comm/europeaid/tender/gestion/index_en.htm, 01.05.2006
- http://www.europa.eu.int/comm/external_relations/ceeca/tacis/index.htm, 30.04.2006
- http://www.europa.eu.int/comm/external_relations/delegations/intro/web.htm, 04.05.2006
- http://www.europa.eu.int/comm/external_relations/euromed/meda.htm, 30.04.2006
- http://www.europa.eu.int/comm/health/ph_programme/programme_de.htm, 28.04.2006
- http://www.europa.eu.int/comm/internal_market/publicprocurement/guidelines_de.htm, 01.05.2006
- http://www.europa.eu.int/comm/off/work_programme/index_de.htm, 04.05.2006
- http://www.europa.eu.int/comm/regional_policy/sources/graph/cartes_de.htm, 30.04.2006

- http://www.europa.eu.int/information_society/activities/sip/programme/index_en.htm, 28.04.2006
- http://www.europa.eu.int/eur-lex/de/search/search_oj.html, 01.05.2006
- http://www.europe-innova.org, 30.04.2006
- http://www.galileoju.com, 28.04.2006
- http://www.gatewaytojapan.org, 03.02.2006
- http://www.gatewaytojapan.org/index.jsp, 30.04.2006
- http://www.handwerk-international.de, 28.04.2006
- http://www.ihk.de, 04.05.2006
- http://www.ihk-gmbh.de, 04.05.2006
- http://www.internationale-kooperation.de, 28.04.2006
- http://www.irc.cordis.lu, 28.04.2006
- http://www.irc.cordis.lu/ircnetwork/network.cfm, 12.04.2006
- http://www.irc-deutschland.de, 28.04.2006
- http://www.irc-deutschland.de/frame.htm, 28.04.2006
- http://www.irc-deutschland.de/nks/index.php?topgroupid=8, 28.04.2006
- http://www.ist-prize.org, 28.04.2006
- http://www.kowi.de, 28.04.2006
- http://www.rp6.de/beratung/deutscheberatungsstrukturen/nks, 28.04.2006
- http://www.rp6.de/durchfuehrung/durchfuehrung/antragstellung/tipsantragstellung, 01.05.2006
- http://www.rp6.de/inhalte/rp7, 28.04.2006
- http://www.zreu.de/Unternehmen/News_05_09_20.html, 10.05.2006

Sonstige Quellen:

- Präsentation „Von der Idee zum erfolgreichen EU-Projekt" von Klaus Grepmeier (Zentrum für rationelle Energieanwendung und Umwelt GmbH) zum Informationstag „Antragsvorbereitung für EU-Förderprogramme" am 19.09.2005 bei der IHK Nürnberg, http://www.zreu.de/Unternehmen/News_05_09_20.html, 10.05. 2006
- Unterredung mit Rolf Reiner, Projektleiter BelCAR der Wirtschaftsförderung Region Stuttgart GmbH, Stuttgart, am 13. April 2006
- Workshop: Vertrags- und Finanzmanagement, Berichtswesen, Audits und Erfahrungsberichte zu EU-Projekten im 6. Forschungsrahmenprogramm, Wirtschaftsförderung Region Stuttgart, am 13. Januar 2006

Anhang

Adressen und Ansprechpartner

Vertretungen der Europäischen Kommission in Deutschland

Europäische Kommission Vertretung in der Bundesrepublik Deutschland Unter den Linden 78 10117 Berlin Tel.: 030/ 2280-2000 Fax: 030/ 2280-2222 E-Mail: eu-de-kommission@cec.eu.int Internet: www.eu-kommission.de	Regionalvertretung in Bonn Bertha-von-Suttner-Platz 2-4 53111 Bonn Tel.: 0228/ 530090-0 Fax: 0228/ 530090-50 E-Mail: eu-de-bonn@cec.eu.int
Regionalvertretung in München Erhardtstr. 27 80331 München Tel.: 089/ 242448-0 Fax: 089/ 242448-15 E-Mail: eu-de-muenchen@cec.eu.int	

EIC – Euro Info Center in Deutschland[147]

Euro Info Centre IHK Augsburg und Schwaben Stettenstr. 1+3 86150 Augsburg Tel.: 0821/ 3162-205 Fax: 0821/ 3162-171 E-Mail: epp@augsburg.ihk.de Internet: www.schwaben.ihk.de	Euro Info Centre Bundesverband der Deutschen Industrie e.V. (BDI) Breitestr. 29 10178 Berlin Tel.: 030/ 2028-1623 Fax: 030/ 2028-2623 E-Mail: eic@bdi-online.de Internet: www.bdi-online.de
Euro Info Centre Deutscher Industrie- und Handelskam- mertag (DIHK) Abteilung Außenwirtschaft Breite Straße 29 10178 Berlin Tel.: 030/ 20308-2306 Fax: 030/ 20308-2333 Internet: www.dihk.de	Euro Info Centre Deutscher Sparkassen- und Giroverband (DSGV) Charlottenstr. 47 10117 Berlin Tel.: 030/ 20225-312 Fax: 030/ 20225-313 E-Mail: eic@dsgv.de Internet: www.dsgv.de/europaservice

Euro Info Centre ERIC Berlin
Ludwig Erhard Haus
Fasanenstr. 85
10623 Berlin
Tel.: 030/ 39980-275
Fax: 030/ 39980-239
E-Mail: Eckhard.Behrendt@berlin-
    partner.de
Internet: www.wfbi.de/online/de/U/ii/1/
    seite0.jsp
	Euro Info Centre
	Zentralverband des
	Deutschen Handwerks (ZDH)
	Michael Olma
	Mohrenstr. 20/21
	10117 Berlin
	Tel.: 030/ 20619-333
	Fax: 030/ 20619-59333
	E-Mail: olma@zdh.de
	Internet: www.zdh.de/europa/euro-info-
	    center.html

---

[147]   Vgl. http://www.eic.de, 08.02.2006.

Euro Info Centre IHK Chemnitz-Plauen-Zwickau Straße der Nationen 25 09111 Chemnitz Tel.: 0371/ 6900-230 Fax: 0371/ 6900-222 E-Mail: hofmann@chemnitz.ihk.de Internet: www.chemnitz.ihk.de	Euro Info Centre IHK Dresden Langer Weg 4 01239 Dresden Tel.: 0351/ 2802-185 Fax: 0351/ 2802-113 E-Mail: reissaus.rainer@dresden.ihk.de Internet: www.dresden.ihk.de
Euro Info Centre Landesbank Hessen-Thüringen Bonifaciusstr. 16 99004 Erfurt Tel.: 0361/ 21772-30 Fax: 0361/ 21772-33 Internet: www.helaba.de	Kreditanstalt für Wiederaufbau (KfW) Palmengartenstr. 5-9 60325 Frankfurt am Main Info-Line: 0180/ 1241124 (Ortstarif) Fax: 069/ 7431-2944 E-Mail: Infocenter@kfw.de Internet: www.kfw.de
Euro Info Centre IHK Frankfurt (Oder) Puschkinstr. 12b 15203 Frankfurt/Oder Tel.: 0335/ 5621-280 Fax: 0335/ 5621-285 E-Mail: eic@ihk-ffo.de Internet: www.ffo.ihk24.de	Euro Info Centre Hannover Günther-Wagner-Allee 12-14 30177 Hannover Tel.: 0511/ 30031-375 Fax: 0511/ 30031-11375 E-Mail: eic@nbank.de Internet: www.eic-hannover.de
Euro Info Centre Investitionsbank Schleswig-Holstein Fleethörn 29-31 24100 Kiel Tel.: 0431/ 9003- 497 Fax: 0431/ 9003-207 E-Mail: annegret.meyer-kock[at]ib-sh.de Internet: www.ibank-sh.de/eic	Euro Info Centre Bundesagentur für Außenwirtschaft (bfai) Agrippastr. 87/93 20676 Köln Tel.: 0221/ 2057-273 Fax: 0221/ 2057-212 / 262 E-Mail: westeuropa@bfai.com Internet: www.bfai.de

Euro Info Centre IHK Südlicher Oberrhein Lotzbeckstr. 31 77905 Lahr Tel.: 07821/ 2703-690 Fax: 07821/ 2703-777 E-Mail: eic@lr.freiburg.ihk.de Internet: www.suedlicher-oberrhein.ihk. de	Euro Info Centre IHK Leipzig Goerdelerring 5 04109 Leipzig Tel.: 0341/ 1267-325 Fax: 0341/ 1267-425 E-Mail: friedrich@leipzig.ihk.de Internet: www.leipzig.ihk.de/eic/index. htm
Euro Info Centre Handwerkskammer Magdeburg Domplatz 10 39104 Magdeburg Tel.: 0391/ 56500-0 Fax: 0391/ 56500-99 E-Mail: info@eic-magdeburg.de Internet: www.eic-magdeburg.de	Euro Info Centre IHK Rhein-Neckar L 1, 2 68016 Mannheim Tel.: 0621/ 1709-227 Fax: 0621/ 1709-219 E-Mail: kampfa@mannheim.ihk.de Internet: www.rhein-neckar.ihk24.de
Euro Info Centre Zenit GmbH Dohne 54 45468 Mühlheim an der Ruhr Tel.: 0208/ 30004-21 Fax: 0208/ 30004-29 E-Mail: mk@zenit.de Internet: www.zenit.de	Euro Info Centre IHK für München und Oberbayern Max-Joseph-Str. 2 80333 München Tel.: 089/ 5116-360 Fax: 089/ 5116-615 E-Mail: info@eic-muenchen.de Internet: www.eic-muenchen.de
Euro Info Centre Landesgewerbeanstalt Bayern (LGA) Tillystr. 2 90431 Nürnberg Tel.: 0911/ 655-4933 Fax: 0911/ 655-4935 E-Mail: edwin.schmitt@lga.de	Euro Info Centre Fachhochschule Osnabrücken Albrechtstr. 30 49009 Osnabrück Tel.: 0541/ 969-2924 Fax: 0541/ 969-2990 E-Mail: egbuero@fh-osnabrueck.de

Internet: www.lga.de/de/tc/index_euro infocentre.shtml	Internet: www.et.fh-osnabrueck.de/eic/ eichome.htm
Euro Info Centre ZukunftsAgentur Brandenburg Steinstr. 104-106 14480 Potsdam Tel.: 0331/ 660-3234 Fax: 0331/ 660-3235 E-Mail: Dajana.Pefestorff@zab- brandenburg.de Internet: www.zab-brandenburg.de	Euro Info Centre IHK Rostock – Geschäftsbereich Indu- strie Außenwirtschaft Ernst-Barlach-Str. 1-3 18055 Rostock Tel.: 0381/ 338-801 Fax: 0381/ 338-617 E-Mail: thomas@rostock.ihk.de Internet: www.rostock.ihk.de/eic/index.h tm
Euro Info Centre Saarbrücken Zentrale für Produktivität und Technolo- gie Saar e.V. (ZPT) Franz-Josef-Röder-Str. 9 66119 Saarbrücken Tel.: 0681/ 9520-453 Fax: 0681/ 5846125 E-Mail: eic@zpt.de Internet: www.zpt.de	Euro Info Centre Handwerkskammer Region Stuttgart Heilbronner Str. 43 70017 Stuttgart Tel.: 0711/ 1657-280 Fax: 0711/ 1657-827 E-Mail: juergen.schaefer@hwk- stuttgart.de Internet: www.handwerk-international.de
Euro Info Centre Rheinland-Pfalz Bahnhofstr. 30-32 54209 Trier Tel.: 0651/ 97567-0 Fax: 0651/ 97567-33 E-Mail: info@eic-trier.de Internet: www.eic-trier.de	Euro Info Centre der Hessen Agentur GmbH (HA) Dr. Khaled Snouber Abraham-Lincoln-Str. 38-42 65189 Wiesbaden Tel.: 0611/ 774-8257 E-Mail: khaled.snouber@hessen- agentur.de Internet: www.hessen-agentur.de
Euro Info Centre im DG-Verlag Leipzigerstr. 35 65191 Wiesbaden	

Tel.: 0611/ 5066-1388 Fax: 0611/ 5066-71388 E-Mail: mail@eic-vr.de Internet: www.eic-vr.com	

Innovation Relay Centres (IRC) in Deutschland[148]

IRC Nördliches Deutschland	
IRC-Koordinator VDI/VDE Innovation + Technik GmbH Steinplatz 1 10623 Berlin Tel.: 030/ 310078-155 Fax: 030/ 310078-225 E-Mail: irc@vdivde-it.de Internet: www.irc-norddeutschland.de	IRC-Partner Agentur für Technologietransfer und Innovationsförderung Küste GmbH Geschäftsstelle Rostock Joachim-Jungius-Str. 9 18059 Rostock Tel.: 0381/ 12887-55 Fax: 0381/ 12887-11 E-Mail: paschen@ati-kueste.de Internet: www.ati-kueste.de
IRC-Partner AXON Technologie Consult GmbH DD-Die Denkfabrik Gruppe Innovation Relay Centre Postfach 347076 28339 Bremen Tel.: 0421/20156-0 Fax: 0421/20156-90 E-Mail: irc@axon-technologie.de Internet: www.irc-bremen.de	IRC-Partner Berlin Partner GmbH Frau Heike Hanspach Fasanenstraße 85 10623 Berlin Tel.: 030/ 39980-276 Fax: 030/ 39980-239 E-Mail: heike.hanspach@berlin- partner.de Internet: www.wfbi.de/online/de/AW/ vi/2/seite0.jsp?nav1=open&nav2=open

---

[148] Vgl. http://www.irc-deutschland.de/frame.htm, 08.02.2006.

IRC-Partner	IRC-Partner
TSB Technologiestiftung Innovations-zentrum Berlin Frau Katrin Schmohl Fasanenstrasse 85 10623 Berlin Tel.: 030/ 31010-748 Fax: 030/ 46302-444 E-Mail: schmohl@technologiestiftung-berlin.de Internet: www.technologiestiftung-berlin.de	ZukunftsAgentur Brandenburg GmbH (ZAB) Herr Arndt Ulland Im Technologiepark 1 15236 Frankfurt (Oder) Tel.: 0335/ 557-1608 Fax: 0335/ 557-1610 E-Mail: irc@zab-brandenburg.de Internet: www.zab-brandenburg.de
IRC-Partner	IRC-Partner
TUHH Technologie GmbH Schellerdamm 4 21079 Hamburg Tel.: 040/ 766180-62 Fax: 040/ 766180-88 E-Mail: irc@tutech.de Internet: www.tutech.de	WTSH-Wirtschaftsförderung und Tech-nologietransfer Schleswig-Holstein GmbH Stefan-Andreas Johnigk Lorentzendamm 24 24103 Kiel Tel.: 0431/ 66666-862 Fax: 0431/ 66666-769 E-mail: johnigk@wtsh.de Internet: www.wtsh.de
IRC Niedersachsen/Sachsen-Anhalt INNSA	
IRC-Koordinator	IRC-Partner
NBank GmbH Stefan Austermann Günther-Wagner-Allee 12-14 30177 Hannover	Technologietransfer und Innovationsför-derung Magdeburg GmbH Bruno-Wille-Str. 9

Tel.: 0511/ 30031-360 Fax: 0511/ 30031-11360 E-mail: stefan.austermann@nbank.de Internet: www.nbank.de	39108 Magdeburg Tel.: 0391/ 74435-41 Fax: 0391/ 74435-44 E-Mail: ircpost@tti-md.de Internet: www.tti-md.de
IRC-Partner Universität Hannover – Hannover Uni Transfer Wilhelm-Busch-Str. 22 30167 Hannover Tel.: 0511/ 762-5724 Fax: 0511/ 762-5723 E-Mail: irc@tt.uni-hannover.de Internet: www.tt.uni-hannover.de	
IRC Nordrhein-Westfalen	
IRC-Koordinator Zentrum für Innovation & Technik (ZE- NIT) in Nordrhein-Westfalen GmbH Dohne 54 Postfach 102264 45468 Mühlheim/Ruhr Tel.: 0208/ 30004-31 Fax: 0208/ 30004-60 E-Mail: wo@zenit.de Internet: www.zenit.de	
IRC Hessen und Rheinland-Pfalz	
IRC-Koordinator HA Hessen Agentur GmbH IRC Hessen/Rheinland-Pfalz Abraham-Lincoln-Str. 38-42	IRC-Partner IMG Innovations-Management GmbH Geschäftsstelle Kaiserslautern Dr. Jürgen Gerber

65189 Wiesbaden	Kurt-Schumacher-Str. 74a
Tel.: 0611/ 774-8631	67663 Kaiserslautern
Fax: 0611/ 774-58631	Tel.: 0631/ 31668-10
E-Mail: claudia.maennicke@hessen-	Fax: 0631/ 31668-99
agentur.de	E-Mail: gerber@img-rlp.de
Internet: www.hessen-agentur.de	Internet: www.img-rlp.de

IRC Sachsen

IRC-Koordinator	IRC-Partner
AGIL Agentur für Innovationsförderung und Technologietransfer GmbH	Technologie Agentur Chemnitz im ATT e.V.
Goerdelerring 5	Bernsdorfer Str. 210-212
04109 Leipzig	09126 Chemnitz
Tel.: 0341/ 1267-469	Tel.: 0371/ 5221-131
Fax: 0341/ 1267-464	Fax: 0371/ 5221-129
E-Mail: irc@irc-sachsen.de	E-Mail: info@tac-chemnitz.de
Internet: www.irc-sachsen.de	Internet: www.tac-chemnitz.de
IRC-Partner	IRC-Partner
BTI-Beratungsgesellschaft für Technologietransfer und Innovationsförderung mbH	ETB-Eurotransfer und Beratungsgesellschaft Neisse mbH
Gostritzerstr. 61-63	Gartenstr. 4
01217 Dresden	02826 Görlitz
Tel.: 0351/ 87175-55	Tel.: 03581/ 4816-23
Fax: 0351/ 87175-56	Fax: 03581/ 4816-30
E-Mail: info@bti-dresden.de	E-Mail: info@etb-neisse.de
Internet: www.bti-dresden.de	Internet: www.etb-neisse.de/d/index_d. htm

IRC Stuttgart-Erfurt-Zürich	
IRC-Koordinator	IRC-Partner
Steinbeis-Europa-Zentrum der Steinbeis-Stiftung für Wirtschaftsförderung Haus der Wirtschaft Willi-Bleicher-Str. 19 70174 Stuttgart Tel.: 0711/ 12340-10 Fax: 0711/ 12340-11 E-Mail: info@steinbeis-europa.de Internet: www.steinbeis-europa.de	Thüringer innovativ GmbH Innovation Relay Centre Mainzerhofstr. 10 99084 Erfurt Tel.: 0361/ 789 23 77 Fax: 0361/ 789 23 44 E-Mail: info@thueringen-innovativ.de Internet: www.thueringen-innovativ.de
IRC-Partner Innovation Relay Centre D/CH Stampfenbachstr. 85 CH-8035 Zürich Tel.: +41 1 365-5500 Fax: +41 1 365-5411 E-Mail: mg@euroinnovation.ch Internet: www.euroinnovation.ch	
IRC Bayern	
IRC-Koordinator Bayern Innovativ GmbH Gewerbemuseumsplatz 2 90403 Nürnberg Tel.: 0911/ 20671-310 Fax: 0911/ 20671-722 E-Mail: eu@bayern-innovativ.de Internet: www.bayern-innovativ.de	

IRC Luxemburg-Trier-Saarbrücken	
IRC-Koordinator LUXINNOVATION 7, rue Alcide de Gasperi L-1615 Luxemburg Tel.: +352 436263671 Fax: +352 432328 E-Mail: bertrand.dessart@luxinnovation.lu Internet: www.luxinnovation.lu	IRC-Partner Euro Info Centre EU-Beratungsstelle für Rheinland-Pfalz Technologie Zentrum Trier Bahnhofstr. 30-32 54209 Trier Tel.: 0651/ 97567-14 Fax: 0651/ 97567-33 E-Mail: info@eic-trier.de Internet: www.eic-trier.de
IRC-Partner Zentrale für Produktivität und Technolo- gie Saar e.V. (ZPT) Franz-Josef-Röder-Str. 9 66119 Saarbrücken Tel.: 0681/ 9520-453 Fax: 0681/ 5846125 E-Mail: ellen.dienert@zpt.de Internet: www.zpt.de	

Europäisches Netz der Gründungs- und Innovationszentren (EBN)

Business and Innovation Centres (BIC) in Deutschland:

BIC Frankfurt (Oder) GmbH Herr Uwe Hoppe Im Technologiepark 1 15236 Frankfurt/Oder Tel.: 0335/ 55711-00 Fax: 0335/ 55711-10 E-Mail: info@bic-ffo.de Internet: www.bic-ffo.de	BIC GIZ & Tele Service Frau Renate Ciba Obermarkt 24 63671 Gelnhausen Tel.: 06051/ 828-0 Fax: 06051/ 828-20 E-Mail: arb3@tele-service-center.de
BIC Kaiserslautern Herr Mannfred Beisel Opelstr. 10 67661 Kaiserslautern Tel.: 06301/ 703-0 Fax: 06301/ 703-119 E-Mail: frank.klein@bic-kl.de Internet: www.bic-kl.de	BIC Zwickau Herr Hans-Jürgen Uhlmann Lessingstr. 4 08058 Zwickau Tel.: 0375/ 541-0 Fax: 0375/ 541-300 E-Mail: bic@bic-zwickau.de Internet: www.bic-zwickau.de
IGZ BIC Altmark Herr Georg Naumann Arneburger Str. 24 Technologiepark 39576 Stendal Tel.: 03931/ 6814-40 Fax: 03931/ 6814-44 E-Mail: bic@altmark.de Internet: www.bic-altmark.de	

Adressen für themenspezifische Förderprogramme

Innovation und Forschung

6. / 7. Forschungsrahmenprogramm

EU-Büro des BMBF Frau Monika Schuler Heinrich-Konen-Str. 1 53227 Bonn Tel.: 0228/ 3821-633 (Hotline für Antrag- stellende) Fax: 0228/ 3821-649 E-Mail: monika.schuler@dlr.de Internet: www.eubuero.de	Vorbereitung des 7. FPR: EU-Büro des BMBF Herr Dr. Andre Schlochtermeier Heinrich-Konen-Str. 1 53227 Bonn Tel.: 0228/ 3821-631 Fax: 0228/ 3821-649 E-Mail: andre.schlochtermeier@dlr.de Internet: www.eubuero.de
KMU-Beteiligung ZENIT GmbH Herr Stefan Braun Bismarkstr. 28 45470 Mühlheim/Ruhr Telefon: 01801/ 568-657 Fax: 0208/ 30004-992 E-Mail: kmu@zenit.de Homepage: www.irc-deutschland.de	

EUREKA

EUREKA Sekretariat	EUREKA in Deutschland
107, rue Neerveld	
B-1200 Brüssel	EUREKA/COST-Büro
Tel.: +32 2 7770950	c/o Deutsches Zentrum für Luft- und
Fax: +32 2 7707495	Raumfahrt e.V.
E-Mail: eureka.sekretaria@es.eureka.be	Südstr. 125
Internet: www.eureka.be	53175 Bonn
	Tel.: 0228/ 3821-352
	Fax: 0228/ 3821-353
	E-Mail: eureka@dlr.de
	Internet: www.eureka.dom.de

Informationsgesellschaft

Nationale Koordinierungsstelle für eContentplus und eTEN	MEDIA Plus und MEDIA Fortbildung
	MEDIA Desk Deutschland
ZENIT GmbH	Friedensallee 14-16
Herr Wolfgang Michels	22765 Hamburg
Herr Achim Conrads	Tel.: 040/ 390-6585
Dohne 54	Fax: 040/ 390-8632
45468 Mühlheim/Ruhr	E-Mail: info@mediadesk.de
Tel.: 0208/ 30004-41 oder -58	Internet: www.mediadesk.de/START.
Fax: 0208/ 30004-52 oder -68	htm
E-Mail: mi@zenit.de oder co@zenit.de	
Internet: http://tentelecom.zenit.de	

Aus- und Weiterbildung

Nationale Kontaktstellen für LEONARDO DA VINCI und SOKRATES

Nationale Agentur Bildung für Europa beim Bundesinstitut für Berufsbildung (BiBB) Friedrich-Ebert-Allee 38 53113 Bonn Tel.: 0228/ 107-1608 Fax: 0228/ 107-2964 E-Mail: leonardo@bibb.de Internet: www.bibb.de	INWENT GmbH Frau Uta Behnisch Weyerstr. 79-83 50676 Köln Tel.: 0221/ 2098-365 Fax: 0221/ 2098-114 E-Mail: Uta.Behnisch@inwent.org Internet: www.inwent.org
Zentralstelle für Arbeitsvermittlung (ZAV) Auslandsabteilung Frau Ilse-Lore Schneider Villemombler Str. 76 53123 Bonn Tel.: 0228/ 713-1320 Fax: 0228/ 713-1499 E-Mail: Bonn-zav@arbeitsagentur.de Internet: www.arbeitsagentur.de	Deutscher Akademischer Austauschdienst (DAAD) Referat 332 Frau Dr. Alexandra Angriss Kennedyallee 50 53175 Bonn Tel.: 0228/ 882-257 Fax: 0228/ 882-555 E-Mail: leonardo@daad.de Internet: http://eu.daad.de

Kultur

Cultural Contact Point Deutschland (CCP) c/o Deutscher Kulturrat e.V. Weberstr. 59a 53113 Bonn Tel.: 0228/ 201-3527 Fax: 0228/ 201-3529	E-Mail: ccp@kulturrat.de Internet: www.ccp-deutschland.de

Ansprechpartner im Bereich Finanzierung

Einzeldarlehen der Europäischen Investitionsbank (EIB)

Europäische Investitionsbank (EIB)	Außenbüro der EIB in Deutschland
Frau Simonelli	Lennéstraße 11
100, boulevard Konrad Adenauer	10785 Berlin
L-2950 Luxemburg	Tel: 030/ 590047-90
Tel.: +352 4379-3122 (Informationdesk)	Fax: 030/ 590047-99
Fax: +352 437704	E-Mail: berlinoffice@eib.org
E-Mail: info@eib.org	
Internet: www.eib.org	

Globaldarlehen der EIB[149]

Zentralen der Partnerinstitute in Deutschland:[150]

Bayerische Hypo- und Vereinsbank AG	Commerzbank AG
Kardinal-Faulhaber-Str. 1	Kaiserplatz
80333 München	60311 Frankfurt am Main
Tel.: 089/ 378-0	Tel.: 069/ 13620
E-Mail: info@hvb.de	Fax: 069/ 285389
Internet: www.hypovereinsbank.de	E-Mail: info@commerzbank.com
	Internet: www.companyworld.de/de/
	finanzierung/oeffentliche/start.htm
DekaBank	DEPFA Deutsche Pfandbriefbank AG
Deutsche Girozentrale	An der Welle 5
Thomas C. Schulz	60322 Frankfurt
Mainzer Landstraße 16	Tel.: 069/ 5006-0
60325 Frankfurt am Main	Fax: 069/ 5006-1330
Tel.: 069/ 7147-23 70	E-Mail: info@depfa.com

---

[149] Vgl. www.eib.org/Attachments/lending/inter_de.pdf, 11.04.2006.
[150] Für Auskünfte können die Zentralen sowie deren Filialen kontaktiert werden.

Fax: 069/ 7147-2939 E-Mail: thomas.christian.schulz@ dekabank.de Internet: www.dekabank.de	Internet: www.depfa-pfandbriefbank.com
Deutsche Bank AG Taunusanlage 12 60325 Frankfurt am Main Tel.: 069/ 910-00 Fax: 069/ 910-34225 E-Mail: deutsche.bank@db.com Internet: www.deutsche-bank.de	DKB Deutsche Kreditbank AG Taubenstraße 7-9 10117 Berlin Hotline: 01803/ 120300 (9 Ct./Min.) E-Mail: info@dkb.de Internet: www.dkb.de
Dresdner Bank AG Jürgen-Ponto-Platz 1 60301 Frankfurt am Main Tel.: 069/ 263-0 Fax: 069/ 263-4831 Internet: www.dresdner-bank.de	DZ Bank (Deutsche Zentralgenossen- schaftsbank) AG Platz der Republik 60265 Frankfurt am Main Tel.: 069/ 7447-01 Fax: 069/ 7447-1685 E-Mail: mail@dz-bank.de Internet: www.dz-bank.de
Eurohypo AG Helfmann-Park 5 65760 Eschborn Tel.: 069/ 2548-0 Fax: 069/ 248-71204 Internet: www.eurohypo.com	HSH Nordbank AG Gerhart-Hauptmann-Platz 50 20095 Hamburg Tel.: 040/ 3333-0 Fax: 040/ 3333-34001 Internet: www.hsh-nordbank.de
IKB Deutsche Industriebank AG Wilhelm-Bötzkes-Str. 1 40474 Düsseldorf Tel.: 0211/ 8221-0 Fax: 0211/ 8221-3959 E-Mail: info@ikb.de Internet: www.ikb.de	Investitionsbank des Landes Branden- burg Steinstraße 104-106 14480 Potsdam Tel.: 0331/ 660-0 Fax: 0331/ 660-1234 E-Mail: postbox@ilb.de Internet: www.ilb.de

KfW Bankengruppe Palmengartenstr. 5-9 60325 Frankfurt am Main Tel.: 069/ 7431-0 Fax: 069/ 7431-2944 E-Mail: iz@kfw.de Internet: www.kfw.de	Sächsische Aufbaubank Pirnaische Straße 9 01069 Dresden Tel.: 0351/ 4910-4802 Fax 0351/ 4910-4000 E-Mail: servicecenter@sab.sachsen.de Internet: www.sab.sachsen.de
Westdeutsche Genossenschaftszentral- bank eG Ludwig-Erhard-Allee 20 40227 Düsseldorf Tel.: 0211/ 778-00 Fax: 0211/ 778-1277 E-Mail: info@wgzbank.de Internet: www.wgz.de	WestLB AG Herzogstraße 15 40217 Düsseldorf Tel.: 0211/ 826-01 Fax: 0211/ 826-6119 E-Mail: info@westlb.de Internet: www.westlb.de

Landesbanken:

L-Bank Staatsbank für Baden-Württemberg Schlossplatz 10 76113 Karlsruhe Tel.: 0721/ 150-0 Fax: 0721/ 150-1001 Internet: www.l-bank.de	L-Bank Staatsbank für Baden-Württemberg Herr Thuss Friedrichstr. 24 70174 Stuttgart Tel.: 0711/ 122-2415 Fax: 0711/ 122-2112 Internet: www.l-bank.de
Bayerische Landesbank Briennerstr. 20 80333 München Tel.: 089/ 2171-01 Fax: 089/ 2171-3579 E-Mail: kontakt@blb.de	Landesbank Berlin Bundesallee 185 10717 Berlin Tel.: 030/ 8698-01 Fax: 030/ 8698-3074 E-mail: information@lbb.de

Internet: www.bayernlb.de	Internet: www.lbb.de
Bremer Landesbank Domshof 26 28195 Bremen Tel.: 0421/ 332-0 Fax: 0421/ 332-2322 E-Mail: kontakt@bremerlandesbank.de Internet: www.bremerlandesbank.de	Landesbank Hessen-Thüringen MAIN TOWER Neue Mainzer Straße 52-58 60311 Frankfurt am Main Tel.: 069/ 9132-01 Fax: 069/ 291517 Internet: www.helaba.de
Norddeutsche Landesbank Friedrichswall 10 30159 Hannover Tel.: 0511/ 361-0 Fax: 0511/ 361-2502 E-Mail: info@nordlb.de Internet: www.nordlb.de	Landesbank Rheinland-Pfalz Große Bleiche 54-56 D-55098 Mainz Tel.: 06131/ 13-01 Fax: 06131/ 13-2724 E-Mail: lrp@lrp.de Internet: www.lrp.de
Landesbank Saar Herr Gerhard Altmeyer Ursulinenstraße 2 66111 Saarbrücken Tel.: 0681/ 383-1496 Fax: 0681/ 383-4243 Internet: www.saarlb.de	Landesbank Sachsen Frau Yvonne Reth Humboldtstraße 25 04105 Leipzig Tel.: 0341/ 979-7323 Fax: 0341/ 979-7309 E-Mail: yvonne.reth@sachsenlb.de Internet: www.sachsenlb.de

Europäischer Investitionsfonds (EIF)

Europäischer Investitionsfonds (EIF) 43, avenue J.F. Kennedy L-2968 Luxemburg-Kirchberg Tel.: +352 426688-1 Fax: +352 426688-200 E-Mail: info@eif.org Internet: www.eif.org	

Nationale Banken für die Inanspruchnahme von geförderten Krediten und Darlehen des EIF:

Kreditanstalt für Wiederaufbau (KfW) Palmengartenstr. 5-9 60325 Frankfurt am Main Tel.: 069/ 7431-0 Fax: 069/ 7431-2944 E-Mail: iz@kfw.de Internet: www.kfw.de	L-Bank Staatsbank für Baden-Württemberg Schlossplatz 10 76113 Karlsruhe Tel.: 0721/ 150-0 Fax: 0721/ 150-1001 Internet: www.l-bank.de
L-Bank Staatsbank für Baden-Württemberg Herr Thuss Friedrichstr. 24 70174 Stuttgart Tel.: 0711/ 122-2415 Fax: 0711/ 122-2112 Internet: www.l-bank.de	LfA Förderbank Bayern Königinstr. 17 80539 München Tel.: 089/ 2124-0 Fax: 089/ 2124-2440 E-Mail: sales@lfa.de Internet: www.lfa.de

AUSSENHANDELSPOLITIK UND -PRAXIS

Herausgegeben von Prof. Dr. Jörn Altmann

ISSN 1614-3582

11   *Astrid Zippel*
EU-Förderprogramme für kleine und mittelständische Unternehmen
Ein Ratgeber
ISBN 3-89821-704-3

Abonnement

Hiermit abonniere ich die Reihe **Außenhandelspolitik- und praxis (ISSN 1614-3582)**, herausgegeben von Prof. Dr. Jörn Altmann,

❑ ab Band # 1

❑ ab Band # ___

    ❑ Außerdem bestelle ich folgende der bereits erschienenen Bände:

      #___, ___, ___, ___, ___, ___, ___, ___, ___, ___, ___, ___

❑ ab der nächsten Neuerscheinung

    ❑ Außerdem bestelle ich folgende der bereits erschienenen Bände:

      #___, ___, ___, ___, ___, ___, ___, ___, ___, ___, ___, ___

    ❑ 1 Ausgabe pro Band   ODER   ❑ ___ Ausgaben pro Band

Bitte senden Sie meine Bücher zur versandkostenfreien Lieferung innerhalb Deutschlands an folgende Anschrift:

Vorname, Name: _____

Straße, Hausnr.:   _____

PLZ, Ort: _____

Tel. (für Rückfragen): _____ *Datum, Unterschrift:* _____

Zahlungsart

❑ *ich möchte per Rechnung zahlen*

❑ *ich möchte per Lastschrift zahlen*

bei Zahlung per Lastschrift bitte ausfüllen:

Kontoinhaber: _____

Kreditinstitut: _____

Kontonummer: _____ Bankleitzahl: _____

Hiermit ermächtige ich jederzeit widerruflich den *ibidem*-Verlag, die fälligen Zahlungen für mein Abonnement der Reihe **Außenhandelspolitik und -praxis** von meinem oben genannten Konto per Lastschrift abzubuchen.

Datum, Unterschrift: _____

Abonnementformular entweder **per Fax** senden an: **0511 / 262 2201** oder 0711 / 800 1889 oder als **Brief** an: *ibidem*-Verlag, Julius-Leber Weg 11, 30457 Hannover oder als **e-mail** an: **ibidem@ibidem-verlag.de**

ibidem-Verlag

Melchiorstr. 15

D-70439 Stuttgart

info@ibidem-verlag.de

www.ibidem-verlag.de
www.edition-noema.de
www.autorenbetreuung.de